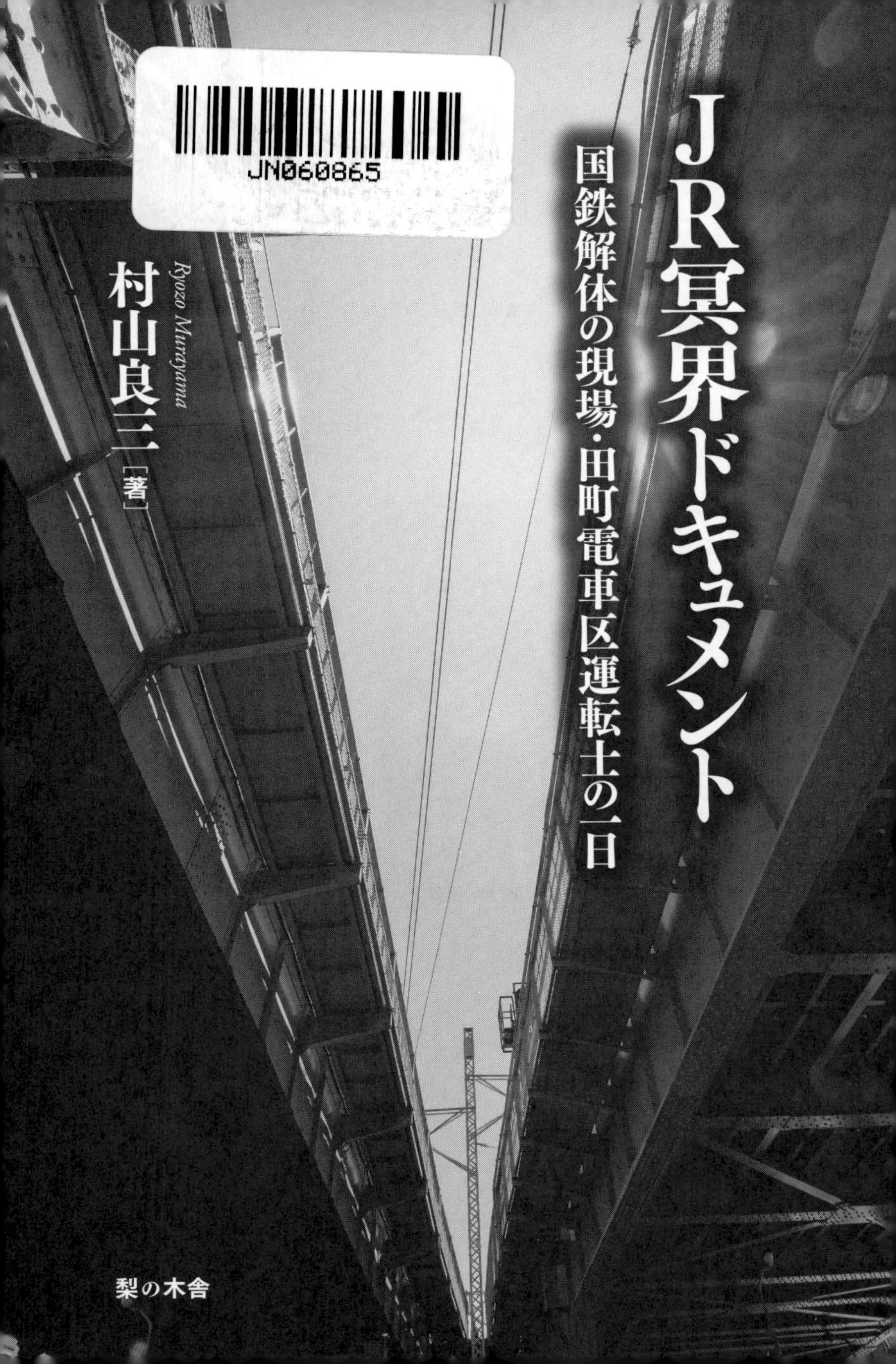

JR冥界ドキュメント

国鉄解体の現場・田町電車区運転士の一日

Ryozo Murayama
村山良三［著］

梨の木舎

◁写真A：田町電車区の全景（品川機関区方向から撮影

①田町電車区庁舎（1階：事務所／2階：乗務員ロッカー室／3階：仮眠室）
②国労分会事務所
③検修庫跡地
④検修員詰所跡地（風呂場などがあり入浴事件の現場）

◁写真B：田町電車区（JR田町車両センター）とその周辺施設

出典：地図、写真とも国鉄労働組合本部発行『国労文化』No.502（2013年7月発行）より引用。写真は2枚ともJR移行後の当該雑誌の発行年ころのものと思われる。

田町電車区とその周辺地図（1977年当時）

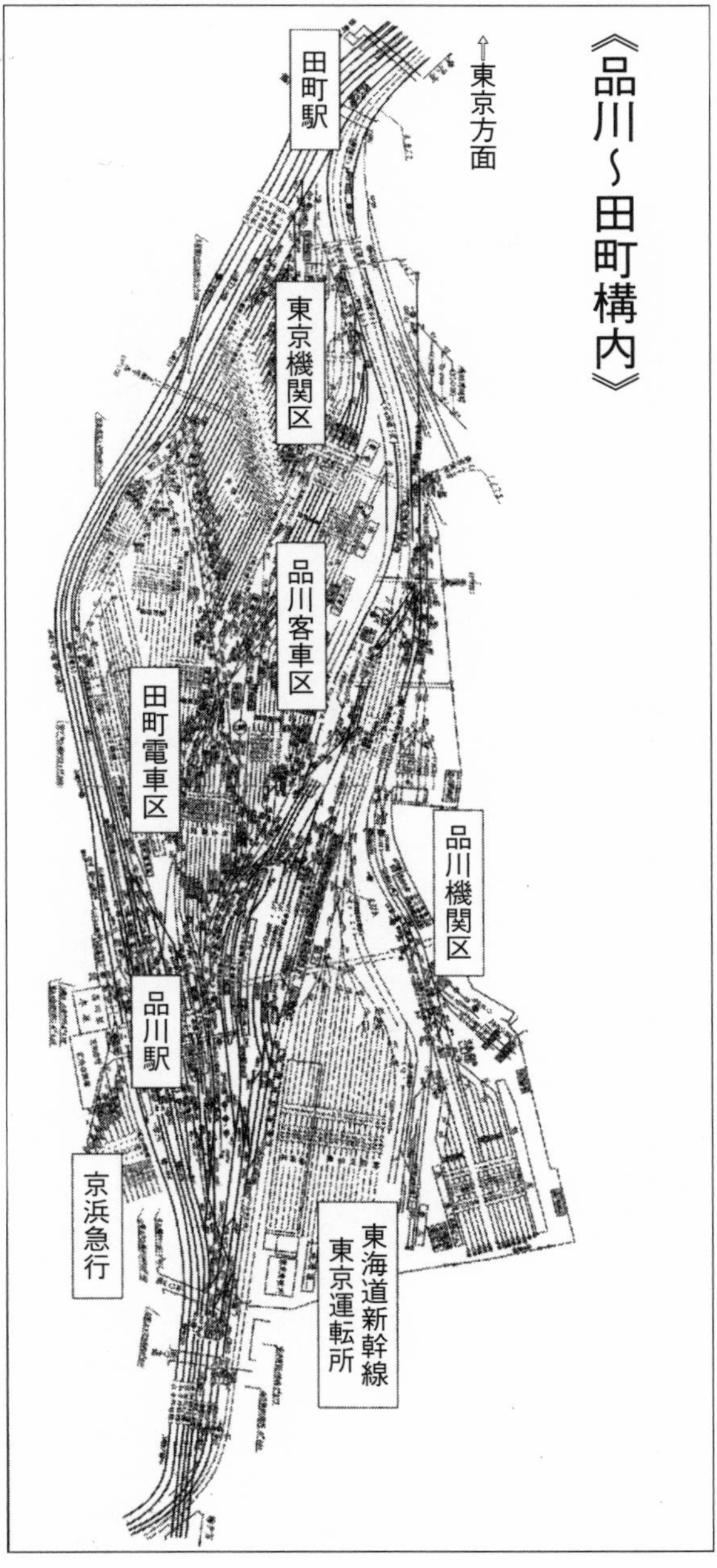

目次

カバー・扉写真　山岡幹郎

1章　招福神像の立つ駅で

出勤二日目の朝

部屋の右壁に掛けられた時計の針は七時三〇分をさそうとしていた。丸い文字盤の上を黒く長い針が秒を刻みながら回っている。その時計が九時〇〇分をさした時にこの駅での長かった私の勤務時間が終了する。あと一時間三〇分、この時計の針の動きだけが今朝の私の気力を支えている唯一のものとなってしまっていた。

無表情と無関心に包み込まれたこの駅の中は、まるで色と音のない世界だ。「モノクロ」で「サイレント」なのだ。社員たちとはほとんど話を交わす機会もない。こんな駅で働かされ続けることには限界があった。一昼夜の二四時間勤務はどうにも耐え難い長さだった。いま耐えることができるのは壁の丸い時計が確実に時間を削り取っていき、ガラス窓の向こうの広場を埋める通勤者たちの絶え間のない流れが、沈み込んでいく心を揺り動かし、和らげているからでもあった。

まだ陽の差さない朝の駅前広場がガラス窓の向こうに広がっている。その日陰の広場を通勤者の群れが一本の太い帯のようになって右から左へ、左から右へと交差しながら流れ続けている。時々その流れが大きく膨らみ揺れ動く時、大蛇のうねりのようにも見えてくる。じっと見つめていると通勤者の一人一人の格好やコートの特徴も見えてきて鱗の一つ一つを彩っているかのようだ。時折、スカート姿の女子学生たちの群れもあって、ガラス窓の向こうの広場はこちら側の色も音もないモノクロでサイレントな世界に人間本来の緊張感や和みを送り込んできているかのようにも思える。

私は丸い文字盤をもう一度見上げると足もとの麻袋に目を移した。黒っぽい茶色の袋の中にはこの駅で使い終えた二日分の切符類が詰まっていた。この駅で回収された全ての切符なのだ。昨日の朝、この駅に出勤して挨拶を交わした時から私の上司となった三〇歳ほどの有山君とは、今朝、私が駅通路の清掃作業を終えたあと、一緒にこの部屋にきた。一時間ほど前のことだ。一度部屋を出ていった有山君は、ほどなく大きな麻袋を背中に担いで戻ってきた。有山君は担いだ袋を肩をよじって床に下ろすと、手で袋の口を開けた。そして二人で部屋の奥に積んであった会議用の長テーブルを広場に面した窓際に運び、二脚あわせて並べた。有山君は袋の中から使い終えた切符類をつかみだすとテーブルの上に広げた。多くは裏が黒い磁気を帯びた自動券売機からでた切符だったが、その中に長距離切符が数種類混在していて、その切符を取りだし整理する作業だった。有山君は、二回ほどテーブルの上に切符をつかみだしては広げ、その中から薄緑色の新幹線特急券とセットの乗車券や、ピンク色で急行券の半券とミシン目でつながった長距離切符、さらには車掌が扱う車内補助券などをつまみだし、麻袋と一緒に持ってきた薄い木箱の枠の中に入れてみせた。

「これ、分かる?」

そう問う。

「分かりますよ」

私は素早く答えて三種類の長距離切符をつまみだし、同じところに置いてみせた。

「自動券売機の券は袋に戻しておいてください」

有山君はそう告げて私が頷くと部屋をでていったのだった。


私は倉庫代りになっていた部屋を見まわし、隅にあった電気ストーブを持ってきてコードをつなぎスイッチを入れてみた。上段の電熱管しか赤くならなかったが、それをそのままテーブルの下に押し込んだ。ないよりはましだ。自動券売機の券を入れる段ボールを探したが適当なものがなかったので、コード類の入っていた段ボールの中身を床にあけ、それを麻袋の隣に置いた。

切符は両手で三回ほど掬ってテーブルに載せる。それを広げ、長距離切符を抜き出しながらさらに広げていく。そして抜きだした切符を種別ごとに分けて木箱に収めていき、残った茶色の裏が黒い小さな券だけを段ボールに落とし、次の券を袋の中からテーブルの上に移す。この繰り返しの作業を二〇分ぐらい続けては手を休め、麻袋が少し縮んだことを確かめるとひと息入れる。自然に視線がガラス窓の向こうの広場に移っていく。

ガラス窓の向こうでは朝の陽が広場の先で輝き始めている。広場と駐車場の端に建つ大きなビルディングの壁面のガラス窓が黄金色に染まり始め、建物上階の陽を受けたガラス面の光が駐車場に撥ね返って、そこだけが薄い陽だまりになっていた。広場も明るさを増して通勤者の数も増えている。通勤者の流れを見続けていると引込まれそうになる。うねるような人々の流れは一段と勢いを増す。左にあるＪＲの改札口からでた通勤者の流れは広場の中ほどでこの部屋の右側の建物の陰に吸い込まれていく。その建屋の後ろには駒沢通りの横断歩道と地下鉄日比谷線の乗降口があり、この二箇所から流れでる通勤客は逆に広場の左にあるＪＲの改札口を目指す。人の流れが広場の中ほどでぶつかりあう。流れが大きく膨らんで波がうねるように見える。

そんな人たちの流れが続く広場を見ていると、時間を忘れてしまいそうになる。なぜ、いまここで半端な仕事をさせられているのか。切符の選別作業をするなかで憤りや悲しみが次々に胸に湧いてきた。これまで私が受けてきた多くの差別、国労*組合員であることによる数々の処分や不利益な扱い、さらには他の組合員からの暴言。しかし、それらへの思いが通勤客の流れに溶け込んで薄められ、「許せない」という憤りの感情の壁が崩れ、全ての感情

*国労：国鉄労働組合の略称。一九四六年二月、国鉄内部に複数あった組合が国鉄労働組合連合会として結集し、翌年内部統一して単体組織となった。組合員数は七〇年代の最大時で五〇万人ほど、現在は四〇〇〇～五〇〇〇人程度か。

が一緒になって流れでていってしまいそうになる。

吐息を飲み込み、自分をようやく取り戻して、改めてガラス窓の向こうを見つめ直した。そこに見えるのは表情も見せずに無言のまま、ただひたすらに職場に急ぐ広場いっぱいの通勤者たちの姿だった。改めて見つめていると恐ろしくもあり、哀しくもある。同時に同じ働く者同士ではないかとの思いも強まって、愛おしくもあり、渦に身を投じたくなる誘惑にもかられる。

感情に押し流される危うさに気がついて慌てて踏みとどまりガラス窓から目を外した。これまでも繰り返し問うてきた問題ではなかったのか。JRになり強制配転されて以来見続けてきた朝の光景でもあった。堂々巡りの繰り返しだが、そんなことで押し流されてしまうわけにはいかない。通勤者の流れを、思いを新たに見つめ続けていると、また違ったものが見えてくるようにも思え、その変化が心を支える一つになっていた。

員数外社員

JRが発足*してから七年が過ぎようとしていた。

私は、JRになる前の国鉄時代には運転系統の職場で過ごしていた。電車の運転士としてハンドルを握り、毎日のように東京駅から相模湾沿いの湘南海岸や駿河湾の海沿いを走っていた。冬の紅色の富士山がパノラマのように展開していくさまは運転席の特権でもあった。そんな電車を沼津や静岡、横須賀方面へと走らせていた。

ＪＲになった八七年の三月下旬に突然にその運転席から下された。国鉄からＪＲにかわったその日から、「員数外社員」とされ、仕事の定めのない「要員機動センター*」という新たに設置された職場に強制配転されてしまったのである。業務は草むしりからトイレの清掃、駅の出改札業務を含めてなんでも機動的に対応していく職場だと聞かされた。

初めて出勤した場所は、既に廃止が決まり廃屋となった汐留貨物駅*の庁舎であった。そこに集められていたのは二〇数名で二〇歳代から三〇歳代までの若者がほとんどだった。五〇歳になろうとしている者は私一人であり、運転士をやってきた者も私だけで、あとは東京駅の改札班からの若い人たちが占めていた。

角に錆の浮いたロッカーが与えられ、長テーブルと折りたたみ椅子以外は貼紙一枚ない部屋の中で、なにもせず時間を過ごすことが「勤務」とされた。員数外の人間であり、ＪＲ東日本には余分な人間だということを毎日の勤務を通して嫌でも自覚していく場所としてつく

*ＪＲ発足：一九八七年四月、国鉄は七つの会社に分割民営化された。
*要員機動センター：「員数外」となった国労組合員を「活用」する目的でつくられ、主に駅周辺での野球や競馬などのイベントへの対応に当たらせた。
*汐留貨物駅：新橋駅東側に隣接し都内南部の手小荷物専用の駅で、西部では新宿駅南口にあった。

られていた。

私を電車の運転席から下ろした理由は、私が国労に所属していて、国鉄の分割民営化に反対し、組合バッジ*を襟につけたまま電車を運転したからだという。なぜバッジをつけて運転できないのかを上司に問うと「お客様に不快感を与えるからだ」と強く返された。しかし私はこれまで二〇数年バッヂを襟につけて電車を運転してきたのだが、乗客からクレームに類したことは一度も受けたことはなかったし、仲間の運転士たちに聞いても同様だった。

ＪＲに移行するとバッヂ禁止の理由が「お客様に不快感を与える」から「就業規則に違反する」に代わった。攻撃が一層強められ、バッヂどころか国労脱退が強要された。そのために要員機動センターが作られた。労働基本権を守ろうとする国労組合員の排除が最初からの目的で分割民営化が行われたのだ*。現場ではそのことがはっきり見え始めていた。しかし私はＪＲで働き続けていくしかなかった。

私たち員数外社員に与えられる仕事は週に一、二回、早朝の主要駅ホームで行なうラッシュ時の「尻押し」が多かった。それが終れば夕方五時まで、尻押しのない日は九時から五時まで「待命」という勤務を続ける。これは命令を待つという軍隊用語だが、幾日もそんな待命が続いた。そんな日は逆に落着かない気持ちになってしまい、窓の外に目を向けて過ごす時間が多くなった。窓の外に広がる旧汐留駅構内は、貨車と貨車とを繋ぐ連結器が外され巨大な一本の帯のようになった貨車の列で埋め尽くされている。線路ごとにかつてのヤード*

の主役だった貨車がトム、トラ、トキ、ワム、ワラなど種別ごとに分けられて留置されている。車体に赤錆が浮き、車輪も線路も構内の金属類は全て赤錆色に染まってしまっていた。毎日見ていると錆が苔のようにその厚さと色を少しずつ増していくのが分かる。錆が浮き上がってくるにしたがい、やがて駅舎も貨車も全て濃い赤錆の一色に呑み込まれてしまい、春の終わりには赤錆に包まれた広大な墓場と化してしまっていた。

そんな見渡す限り赤錆色の貨車の墓場を渡って微かな湿り気を含んだ海風が、昼頃になると毎日のように五階の部屋の中にまで吹き込んでくる。風の吹いてくる彼方には築地市場が見え、スモッグの空に大きく突き出た朝日新聞社の社旗を掲げた社屋も見えた。海風が運んでくるのは海の湿り気だけではない。あたり一帯を毎日のように走り廻る右翼の街宣車の音量をいっぱいに上げた騒めきが、風に乗りこだまのように切れ切れに窓から飛び込んできた。朝日新聞社阪神支局で起きた記者殺害事件に絡んでのデモンストレーションだったか。

＊組合バッヂ：表紙袖の写真を参照。

＊分割民営化を推進した首相・中曽根康弘は一九九六年一二月の週刊誌『ＡＥＲＡ』誌上で「総評を崩壊させようと思った。国労が解体すれば、総評も崩壊するということを明確に意識してやった」と発言している。

＊ヤード：貨物車の入れ替え作業のできる引込線のある駅。

スモッグ色の雲が広がる窓からの眺めのなかで鬱々とした日々を続けていたある朝、若い新顔の助役が部屋に入ってくるなり私たちを集めて言った。

「これからオリエンテーションを行なう」

助役はそう告げると私たちを廃屋から連れだした。玄関口をでると赤錆の浮いた貨車の長い列を右手に見ながら、うち捨てられた「0基点*」の白い標識を左に見て、大きな鉄製の門を抜けでて右に折れた。行き先をどこことも告げず無言のまま助役は先頭を歩く。後ろから「浜離宮だろう」の囁き声。そのとおり助役は浜離宮の門を入ると、緩い下り斜面の見晴しの良い場所で立ち止った。

「午前はここで自由研究」

笑いを殺した表情でそれだけを告げると助役は私たちに背を向け緩い傾面を上って戻っていった。辺りには色の褪せた白い桜や、濃い色の八重桜の下に菜の花が咲き誇っていた。その彼方には水上バスから下船した人たちの姿が見える。

「あの助役も若いけど、員数外だったということだよなあ」

去っていく助役の後姿を見つめていた一人がそう言い放った。振り返り嗤いを浮かべる者もいたが、多くは「員数外」の声に同調することなく、花々に顔を向けうつむき加減に佇んでいた。

彼らは労働者の基本権が当たり前に通用する社会を国鉄の職場から広げ、そこに共生社会の実現を夢見てそれまで過ごしてきた若者たちであった。しかし、ＪＲになって員数外とされてしまえば、どこにこれまでの夢をつなぐことができるのか。言い放たれた「員数外」という言葉は絶望的な現実を改めて彼らに突きつけたのだ。

ＪＲは国鉄からの移行時に国鉄職員から社員を募集したが、実際には定員を満たすことができず、定員割れのまま発足せざるを得なかった。にもかかわらず員数外社員を設けたのは、分割民営化に反対した国鉄職員を正規の業務からなんとしても外したかったからだ。労働者の権利を主張する社員は「新生ＪＲに相応しくない」という考えが国や国鉄幹部たちには根強く生き続けていた。

間もなく五〇歳になろうとしていた私には員数外であろうとＪＲに残る選択肢しかなく、腹をくくる以外なかった。しかし、未婚の者も多い二〇代や三〇代の彼らには、員数外とされ正規の仕事に就く望みの断たれてしまったＪＲに残るか否かの葛藤があった。

助役の姿が見えなくなっても、多くはしばらく佇んだままだったが、やがて二人、三人と連れ立って思い思いの場所に散り始めた。私は水上バスの船着場を目指して歩いた。陽光は暖かだが心は逆に冷え切っていて、渇きに似たものさえ覚え、風に波立つ水面の広がりを見たかった。

＊０基点：一八七二（明治五）年、新橋・横浜間の鉄道開業時、新橋駅のホームがあった地点。新橋鉄道記念館の裏に現存する。

旧汐留駅跡に作られた「新橋要員機動センター」は翌年の八八年三月末に廃止されてしまい、私は「新宿要員機動センター」に二度目の強制配転となった。新宿駅南口の甲州街道の陸橋の下に事務所と詰所があった。道路一つ隔てた新宿御苑寄りには場外馬券売場があり、大きなレースの日には大勢の男たちが周辺の路地を埋め尽した。この甲州街道下に作られた詰所は、新橋センターの若いメンバーとは違い、新宿駅の改札を長年担ってきた四〇代から五〇代の国労組合員が大部分を占めていた。

出勤初日

私は昨日の朝、新宿センターからの助勤者*として八時四〇分頃、招福神像が建つこの駅に出勤した。

この駅での勤務は初めてだった。ホームからの通路を改札口の手前で左に入るとその奥に「駅長事務所」と記されたガラス窓付きのアルミのドアがあり、そのドアを押して中に入った。大きな部屋だった。部屋の左奥に事務机が向かい合わせに四つほど並んでいて、その中ほどにワイシャツ姿の男が一人、机に向かっていた。

「要員センターの助勤者です」

私の声に男は顔を上げてこちらを見た。そして無言で立上ると机を離れて近づいてきたが、そのまま部屋を横切り、私の立つ場所とは反対側の壁のドアを開けた。ドアを半開きにしたまま「こちらへ」と促す。私は男に続いてドアをくぐった。

そこはロッカーが正面に並び、左には厨房やテーブルもあって、駅員たちのロッカー室でもあり休憩室ともなっていた。ワイシャツ姿の男は奥の壁に並べられたロッカーの厨房寄りの端の一つに手を触れる。

「ここの二つが助勤者用です」

そう言って私を見た。私が頷くとそのままロッカーを離れ、ドアを出ていった。

私は制服を入れたバッグを床に置き、助勤者用ロッカーの最初の一つを開けた。私物の上着や防寒コートなどが幾つも吊され、私物化されている。もう一つのロッカーだけが空けられていた。私はそこにズボンや上着を吊し、洗面道具やバッグなどを押し込んだ。間もなく誰もいなかった部屋に二人、三人と出勤者が現れ始め、着替えだした。

着替えを済ませていた私はテーブルと向かい合わせの壁に設けられた掲示板の前に立った。助勤者用の作業表を見たかったからだが、大きな掲示板の上部にはＪＲの標語である「服装の整正」「勤務の厳正」などの文字に並んで、なぜか「人権の尊重」の文字が大きく張りだ

＊助勤者：要員機動センターから駅業務を補助するために派遣される者をさす。「員数外」の社員、または国労組合員であることを含意する。

されていた。作業表はそんなポスター類の下、一番下段にＢ４サイズの用紙に横長四段で掲示されていた。屈み込むように見ると日勤などの作業表はあるのだが、助勤用のそれは見当らない。初めての駅でなにも分からないまま始まってしまう不安が募った。

助勤といっても雑用が多く、作業表があってもないも同然の駅が多かった。そんな駅では管理者が直接指示することも多く、たいてい教え方が不適切で雑だった。まともな仕事をしたかったら組合バッヂを外せ、言外にそう迫っているのだ。こんな時はトラブルにもなって、私たちは抗議し仕事を中断して引上げもした。

「助勤さんですよね？」

不意な背後からの声に振り返った。身体の大きな丸顔の青年が私を見下ろしている。新宿要員センターの村山だと名乗った私に、青年は微笑みながら「有山です」と返してきた。笑顔の応対ぶりから胸に芽生えた不安が薄まり、安堵感が広がる。そして「気楽にいけばいいよ」そんな言葉をくれた新宿センターの小島分会長*の表情が頼もしく思い出された。

一カ月先までの助勤先を定めた勤務表が出された時、私はこの駅への泊り勤務が入っているのを見て不安を覚えた。駅での泊り勤務の経験が少なかったからだ。そこで要員センターの詰所の奥のテーブルで雑談をしていた小島を見つけ、タイミングを図って声をかけた。彼は新宿駅改札班の国労組合員のまとめ役を長い間勤め、要員センターでも分会活動の要にいる人物だ。

「初めての駅で泊り勤務がついたのだけど」

両肘をテーブルに置き背を丸めて話し込んでいた小島は上げた顔を私に向けた。私の話にいっとき考え込んでいたが、やがて表情を和らげて私を見た。

「あの駅には有山君という男がいるよ。まだ三〇歳前だと思う。この前まで国労組合員だったのだがねぇ。ＪＲになって二年目だったか、脱退したよ。手取り足取り教えてやった男だったけどね」

そう言うと少し表情を引締めて続けた。

「体格のいい男でね。鉄道公安官を希望して国鉄にきたらしいけど。仕事を教えたし、相談にも乗ってやったから、オレたちの気持ちも理解しているはずだよ。駅での仕事は彼が教えてくれるから、気楽にいけばいいよ」

最後は笑顔を作ってそう言い、私の不安を取り除いてくれようとした。小島の言葉の端々には、新宿駅の改札で長年組合員の先頭に立ちながら若い人たちのメンタルをも支えてきたという自負が滲んでいた。運転職場から駅にきて仕事に馴染めないでいるほぼ同年輩の私を

＊分会・分会長：国労など規模の大きな労働組合は職場ごとに分会を組織した。その分会のトップが分会長で、その補佐として書記長が置かれる。強制配転された要員センターにも分会が置かれ組合活動が行われた。

知ったうえでの言葉だったのだろう。

駅それぞれの条件で仕事も違いやり方も違う。それを具体的に教えてくれる人がいないと仕事が回らない。だから組合を脱退しているにしても助勤先の駅に国労組合員に一定の理解を示す社員がいることは要員センターの管理者にとっても私たち国労組合員にとってもある種の救いになったし、必要な存在と言えたかも知れない。

私はここが初めての駅で業務にも馴れていないことを有山君に告げた。そして作業表に助勤のことがなにも記されてないことを問うた。

「具体的なことは僕が教えますから」

小島の言葉どおりの答えが返ってきた。

点呼

着替えを終えた社員たちがドアを開けて隣室の事務室に移動を始めた。その人たちを見つめていた私を有山君が促し、私たちも一緒に隣の事務室へのドアをくぐった。

事務机の列を前にして助役たちが横に並んで立っている。ワイシャツ姿だった男も上着を着て大きな出勤簿を脇に抱え、助役の列の端からこちらを見つめている。正面にいるのが駅長か。有山君は部屋の中ほどまでいったが、私は今朝入ってきたドアの近くで立ち止まった。

ワイシャツ男の真正面だったが、遅れて入ってきた社員が私の前に立ち、少し気が休まる思いがした。出勤者たちの動きが止まり、部屋が静かになった。

ＪＲになったばかりの頃は、助勤先の駅長たちの張り切りようは大変なものだった。点呼の際には出勤者の名前を勢いをつけて読み上げた。氏名のあとに「社員」をつけて叫ぶのだ。国鉄時代との違いを意識させようとしているのは明白で、軍隊調に上下関係をことさらに強調した。答えの「ハイ」の声が小さいと繰り返し呼んで、なお小さいと「いるのか！」などと恫喝する管理者もいた。その頃からすると穏やかなようにも見えた。

「点呼を始めます」

硬い声がした。駅長の声だ。続いて左側の助役が今週の標語を読み上げ、その中の一つとして常に服装の整正に留意するように言う。バッヂなどつけるな、そう言っているのだ。注意事項の最後に人権への配慮のようなことも言ったが、私には助役の言っていることの意味が少しも理解できなかった。ＪＲが人権で社員に訓示めいたことを言うのは驚きでもあった。不当労働行為の「総本店」のようにして発足したＪＲにも「人権、取り扱い始めました」の看板が必要になったということか。昨年度あたりから始めた新入社員の募集を意識しているのかも知れない。そう思い、聞き流した。人権を認めていないのに存在しているかのように語るのは偽装ではないのか。

それが終わるとワイシャツ男が抱えていた大きな出勤簿を両手に広げ、この日の出勤者一人一人の氏名を「社員」づけで呼び始めた。有山君は五、六番目に呼ばれ、素直に「ハイ」と返していた。

最後に私の番になった。「社員」づけで呼ばれた。他の駅でもそうだったが、やはり軍隊のようで素直に返事をする気にはなれない。頭ごなしに「黙って従え」、そんな響きを伴って聞こえる。それで返事はしなかった。わずか一〇人程度の出欠を確認するのに大袈裟で儀式的過ぎる。半円になって顔を合わせれば黙っていても分かることではないか。

「いるよ」

私は「ハイ」の代わりにそう答えた。妥協の返事だった。ワイシャツ男と私の間に社員が立っていたので、ワイシャツ男には私の姿が見えにくかったかも知れない。ワイシャツ男は上体をねじるように顔を動かし私を確認した。

「いるよね！」

そう言ったのでオオム返しに

「いるよ！」

再びそう答えた。私が出勤しているのはこの男が最初に確認していることでもある。すると突然駅長が私の氏名を社員づけで呼んだ。

「襟の組合バッヂを外すように！」

やはり言ってきたか。そう思いながら身構えて駅長の表情を窺った。再度「外せ」と強要したら「外しません」と言い返すことにして駅長の様子を見ていると、そんな私の態度に頓着する様子もなく、私の視線も無視して左に立つ助役に声を掛け、頷きあうと直ぐに顔を正面に戻し告げた。

「点呼を終わります」

駅長は言い終えると社員たちに背を向け、奥のドアを開けて話していた助役を従えて去っていった。「バッヂを外せ」の二度目の声をなかば待っていた私には、はぐらかされた思いと駅長との緊張感がなくなったことでの解放感とが残った。「仕事は確保する」が新宿要員センターの分会員全体の意向にもなっているから、こうした場面ではいつも躊躇し戸惑った。

社員たちは詰所へ向け移動し始めている。私も助役の一人と話している有山君の後ろ姿を見ながら詰所に戻り、ストーブの脇で有山君を待った。

点呼場で「ハイ」と返事をしなかった助勤者の私に社員たちはなんの関心も持っていないかのように無表情に通り過ぎていく。表情に笑みもなにもない無関心さは、逆に私を避けていることを物語ってもいるのだろうか。私はさきほどの駅長とのやりとりに引き戻されながら、中途半端に終わった気持ちを持て余していたのだが、不意に胸の奥に違和感を覚え、それは直ぐに痛みに似たものに変わった。嘔吐感が胸を突き上げてくる。これまで硬く守ってきた胸の奥のどこかに亀裂が入ってしまったようだ。上半身を伸ばし首を回しながら呼吸を整えて嘔吐感のある痛みから逃れようとしたが、逆に痛みは疼きを伴って増してくる。私は立ち上って炊飯場にいき、棚にあるコップに水を入れて飲んだ。

確かにバッヂを「外せ」「外さない」などと砂をかけ合うような言葉の応酬と意地の張りあいを今朝は回避できた。それは悪いことではなかったのかも知れない。いつまでも心を針ネズミのように逆立てながら助勤を続けられるわけでもない。管理者の指示を拒否したことが勤務成績不良とされて賃金が削られていく。それも毎月のことで、それが積み重なってきていて、いつの間にか「もう限界だ」といった意識に捉われる。国労組合員としてのプライドでなんとか持ちこたえているようなものだ。今日の件はその限界を少しでも先送りにすることになった。そう思えば気が軽くなる。つまり、平穏無事に今日の労働が始まればいっときの心の休養ともなるはずであった。

同時に、駅長は私のような助勤者一人を相手に朝の大事な意思統一の場を乱すことを避けようとした。それがはっきりと読み取れたことも確かで、私には初めての経験だった。ＪＲになったばかりの頃は、どこの助勤先の駅でも私たちの組合バッヂを異端視し、職場から排除することに狂奔し、バッヂを外すことを強要してきた。仕事に就かせることなく追い返すこともたびたびで、私たちも就労を拒否して対抗してきた。

あれから七年過ぎて、ＪＲの駅や各現場も組合バッヂでの争いにかかわりなく業務が回り始めている。その事実に私たちはもっと早く気づかなければならなかったのかも知れない。

そんな思いの片方で、ここはどうしてもこれまで闘ってきたものを守っていかなければ、これまでの全てが無意味に帰してしまう。その不安と焦りが一度に襲ってきた。こんな状態ではこれまでの主張もなにもかも失ってしまう。その恐怖感や絶望感が心を駆け巡り、胸を突き上げて揺さぶるのだ。

有山君がドアをくぐり、戻ってきた。冴えない顔でコップを握っている私を一瞥する。

「東口で改札をやりましょう」

そう声をかけてきた。私はなんとか笑顔をつくって頷いた。有山君との話は明日の朝までの仕事のためであり、元国労組合員でもあった絡みで素直に受入れて教えてもらうしかない。

有山君はホームには向わずに改札口から広場に出た。横断歩道とは反対側に歩いて行き、広場の東口の端から坂道を上り始めた。有山君は坂道を上りながら話す。

「このあたりは住宅街なので朝晩の勤め人ばかりという感じだね。以前はこの上にビール工場があって通勤者も多かったらしいけど」

左右を見渡すと確かに住宅やアパートのような建物ばかりだ。坂道を広場に下りていく二、三人の人と出会っただけだった。坂が緩やかになったところを左に入ると改札口があった。

点呼の後にできた胸の中の亀裂と痛みは坂道を上ってくる間もそのまま胸の中にあった。

点呼場からロッカー室に戻り、有山君を待つ間、私の前を通り過ぎた社員たちの無表情と無関心、そして助役たちの応対を思いだす。すると、明日の朝の勤務が明けて帰るまでに、この駅で顔をあせて会話をするのは多分有山君一人だけになるのだろう。あとは影のような存在として付きあう人たちなのだ。そんな疎外感に再び襲われた。なぜこんな状態になったのか。いつからこんな無表情で無関心な人たちだけになってしまったのか。国労の組合員だった者もいたはずだ。そんなことを考えながら、私は新宿のセンターに配転されて間もなく助勤に出された駅での出来事を思い出していた。

「は、ず、さ、な、い、よ」

三年前の荻窪駅でのことだ。朝の七時半から九時までのラッシュ時間対応の助勤だった。一時間ほど過ぎた頃だったか。私は四台並んだラッチ*の改札事務所寄りの二番目に入っていた。電車を降りた客はホームから階段を下りコンコースいっぱいに広がってくる。その降車客たちから改札口で切符を受け取り、定期券を見て通していくのだ。

ラッチに入って三〇分も過ぎると、ラッシュの混雑にもなれて余裕がでてくる。電車が到着し階段を雪崩のように下りてくる乗客の群れに目をやった時、白い服をひらひらさせて揉まれるように階段を下りてこちらに近づいてくる一人に気づいた。よく見ると駅長だった。両側に助役が二人いた。

「ごくろうさん」

駅長は私の前まできて立ち止まると声をかけてきた。

私は目の前に立つ白い服の男を見た。噂に聞いていた高飛車な印象とは違いソフトな感じだ。少し目が大きく帽子の下のもみ上げは半分ほど白い。

「今日が初めてのようだね」

「あ、初めてです」

ラッチ台の上に散らばった切符を足もとの石油缶に両手で落しながらそう答えた。丁寧に落として顔を上げた時、駅長の怒りに満ちた顔が目の前にあって、突然その顔が怒鳴りだした。

「そのバッヂ外しなさいよ！」

大きな声に少しびっくりしたが、バッヂのことを言ってくるのは予期していたので、私は素知らぬふりをしながら、残った切符を石油缶に落とし続けた。

「聞こえないのか、組合バッヂを外せと言ったのだ。服務規程違反だ、直ぐ外せ」

駅長は、ラッチの正面から左横のラッチの出入り口に回り込み、さらに声を高めて怒鳴る。

＊ラッチ：自動改札機が導入される以前の駅の改札口では、人一人が入れるほどのボックスが設けられていて、その中から駅員が乗客のさしだす切符のチェックと回収を直接行っていた。そのボックスのことをラッチと呼んだ。

私の右側隣に並んだ二つのラッチにも社員が入っていて、こちらを見つめている。

私はバッヂの着用は組合員としての権利だと言い返そうと思った。しかし、組合員としての自覚の問題以前に、居丈高に怒鳴り続ける相手の勢いに押されて、元気のない受け答えだけはしたくなかった。この駅に助勤にきている間じゅう、あるいはほかの駅に助勤に行かされてバッヂのことでやり取りが始まった時、今日のことが嫌な記憶として甦ってしまう。それだけは避けたかった。一方的な配転だけでもひどいのに、こんな言い方は許せない。そんな思いが胸を突き上げてきたのだ。

「外さないよ」

私は台の上の切符を落し終えるとラッチの横に立っている駅長の顔を睨みつけて言った。

「外さない？ なんだそれは。外せと駅長が命令しているのだ」

「外さないと言っているじゃないか。そんな命令なんか聞けないよ」

「就業規則に従えないと言うのか。社員は就業規則に従えと言っているのだ」

肉の薄い顔の皺の中の眼玉だけがひときわ大きくなった。眼の色は青く子どもの眼のようだが、深く険を帯びている。

「就業規則に組合バッヂをつけてはいけないなんて書いてないよ。あんたたちが勝手に言い出したことじゃないか」

「なにを言っているのだ」

「駅長こそ勝手なこと言わないでよ」

言い争っているうちに乗客たちがコンコースいっぱいに広がり始めたが、私のラッチには一人も来ない。改札事務所寄りの隣のラッチには駅に入る乗客が流れ込んでいたが、私のラッチを境に駅を出ようとする降車客たちは残された二つのラッチだけに集中してホームの階段下まで広がってしまっていた。そんな後ろの状況にようやく気づいた駅長は慌てて事務所に歩いていくと、ドアを開けるなり精算窓口に座る社員に向かって怒鳴った。

「ラッチに入れ！」

直ぐには立ち上がろうとしない社員に苛立ってさらに叫ぶ。

「早く二番に入れ！」

そう怒鳴りながら右腕を私のラッチに向けて勢いよく上げた。少し太めの社員が無言のままゆっくりと席を離れ、ドアを開けて近づいてくる。怒りを抑えた硬い表情で右手には帽子を掴んだままだ。

「座るの？」

ラッチの横に立った社員にそう問うと硬い表情を崩して笑顔になった。

私はゆっくりラッチを出て事務室に向う。中に入ると駅長は事務机の横のスペースで二人の助役を両側に立たせ、私を待ち受けていた。

「この駅の助勤にきたのだから現場長の命令に従うのが当たり前だろう」

「そんなことないよ、駅長の権限は仕事に限ってのものだ。それも労基法*の範囲内でのことだろうよ」

「就業規則に定められているのだ、直ぐバッヂを外せ」

「あんた、いい加減にしなさいよ、同じことばっかり言ってよ」

「あんたとはなんだ、失礼じゃないか」

「あんたというのは敬語なんですよ、知らないんですか」

ああ、やっぱり噂どおりの駅長だなあ。そう思いながら正面に立つ駅長を見た。どこにでもいる駅長とは少し違う。ＪＲの多くの駅長は尊大ぶって大声で社員を脅せばすむと思っているようだが、その尊大さの代りに異常な執拗さを持っている。たいして変りはないのかも知れないが、この駅長の執拗さが今のＪＲには必要とされているのかも知れない。

「ともかく、バッヂを外さない限り仕事には就かせない」

「ああ、そうですか、じゃあ帰りますから、いまあなたが言ったことを助勤簿*に書いてください」

「アンタね！　現場長の命令下にあるのだから命令に従いなさいと言っているのだ」

「あんたもアンタと言っているじゃないの。なんでも駅長の命令に従えと言うのはおかしいよ、それはできないよ」

それまで私と向きあっていた駅長は左に立つ助役に顔を向ける。

「ほれっ、バッヂを外すように言いなさい！」

叫ぶように言って右腕を勢いよく上げると私を指さした。その仕草に煽られるように駅長よりひとまわり背の高い助役は私の方に一歩踏み出して言った。

「組合バッヂを、は、ず、し、な、さ、い」

言葉を区切り、抑揚のない言い方はまるでロボットのようだ。硬い表情で眼は死んでいる。

「は、ず、さ、な、い、よ」

私も同じ口調を真似て言い返したらそのまま黙り込んでしまった。

「ともかく、就業規則に従ってもらう、それが会社だ」

駅長は大きな声で言い捨てると私の横を通り抜け、ドアを押して出ていってしまった。助役二人も慌ててその後を追っていく。

あの日の荻窪駅の社員たちは、まだ自分の考えと感情を持っていて、それを身体に表して仕事をしていた。駅長に怒られ、仕方なく精算窓口から私のラッチに入った若い社員は意図

＊労基法：労働基準法の略称。労働現場で守られるべき労働条件の最低基準を、企業にとっては義務、労働者にとっては権利として定めている。

＊助勤簿：要員センターに所属する者の作業の記録簿で、仕事に就いたことを証明する書類の綴り。これをもとに賃金が支払われる。

的にスローモーな動作と硬い表情で不満と怒りを表していた。なんで駅長の不始末をオレに押しつけるのだ、そう言いたげだった。

別の社員たちにも同様の考えと感情がうかがえた。事務所内で駅長と私がやり合っている間にラッチの交代時間がきてしまい、駅長の後方にある休憩室から交代の社員たちが次々と出てきてラッチに向かい始めた。その社員たちは、駅長の後ろをこちらに向かって歩いてくる時には私に笑顔を見せるのだが、私と向い合っている駅長の横を過ぎた途端、表情を一変させた。微笑が消えて無表情な硬い顔つきになって通り過ぎていくのだ。そして、その社員たちと入れ代わって、それまでラッチに入っていた社員たちが休憩室に戻ってくるのだが、今度は駅長の背後に回った途端に硬かった表情を和ませた。振り返って私に笑顔を見せてくれる社員もいた。

「よくぞ駅長にオレたちの言いたいことを言ってくれた」

そんな笑顔だった。それは私への直接的な応援となり、新たな勇気となった。あの日、そんな笑顔に背中を支えられて、駅長にも強気で応対することができたのだ。あれからまだ三年も経っていない。

東口の改札口は小さな詰所で二人も入ればいっぱいになり、三人目の居場所がないような部屋だ。一人がラッチに入り、一人は詰所で釣銭の一〇円や一〇〇円硬貨を揃えている。

ラッチ用のものだろう。有山君が詰所に入ると中の社員と話していたが、まもなく社員の一人は帰っていった。

東口での仕事はラッチに一時間立って精算を三〇分担当する。精算といっても硬貨での精算はラッチで済んでしまうので、なかば休憩時間のようになってしまう。それでも私鉄からの精算は私には難しいものがあった。私鉄の駅は運賃表に記載されておらず、別途探さなければならない。時には精算に手間取っている私に不満げな表情を浮かべる乗客もいる。私の氏名札の「電車運転士」の文字に気づく客はほとんどいない。以前、一緒に仕事をしていた国労組合員の社員が、乗客の様子を見て「運転士をやってきた人でまだ初心者なんですよ」と代弁してくれたこともあった。

だから、ここでは面倒な精算は有山君たちにまわして、駅に入る乗客の切符切りと降車客の切符の受け取りだけに専念するしかないようだった。私は助勤者というよりも彼らにとっては厄介な「客人」なのかも知れなかった。

そんな関係もあってラッチでの一時間は長かった。乗客たちはラッチを通りすぎる間際に切符を台の上に放りだす。その切符の発売駅を見て瞬時に適正な運賃か否かを判別しなければならないのだが、それができない。私が安心して受け取れるのは下車駅が「東京都区内」と記入された長距離切符だけで、あとは運賃表と照合しなければならない。ようやく駅名を探しだして運賃不足に気づいた時には客の姿が見当たらないこともたびたびあった。

会社員らしい男が二人話を交わしながら近づいてきた。その後ろにコートを着た女の姿もあった。男の一人が切符をだして不足の額を問うた。運賃表で駅名を探し不足額を伝えていた時、コートの女は手にピンクの長距離切符らしいものを握ったまま通り抜けていった。男につり銭を手渡し終えて、女の後姿を目で追った時には道路に降りる石段の下に揺れる上半身だけが見えた。ラッチの台に長距離切符は置かれていない。急ぎ足で通り過ぎたようで、その振れ動く背中が東中野駅での出来事を思い起こさせた。

踏み絵

東中野駅に助勤にいったのは前年の秋頃だ。北海道からの広域配転*に応じた四〇代から五〇代の国労組合員が五人ほど東中野駅の改札業務を担当していた。国労からの脱退は拒絶したものの組合バッヂは外すよう強要されたという。家族ぐるみの配転でもあることから彼らの絆は固く、腹をくくったものを感じた。私に対しても非常に好意的で、休憩時間にはお茶を入れ茶菓子までだしてくれた。彼らの素直な対応、忌憚のない会話が職場を明るくしていた。私は助勤のたびに彼らと一緒に朝九時前後の一、二時間、山手通りの改札口に立つことが多かった。九時近くになると中国からの語学生が通りの改札口一帯にあふれんばかりに集まってくる。どうしてこんなに中国の若者が多いのかを古参の組合員に聞くと、日本語学校が一つ増えて三校になったからだという。その語学生たちの一〇人に三人ぐらいはピンク色の急行券や薄緑色の特急券とセットの長距離の乗車券を握りしめていて、それをださずに改札口を通り抜けようとした。切符を回収するために腕を伸ばすと振り払って走り抜けてしまう。それらの切符には「都区内下車、前途無効」と記されていて、境界駅の外であれば自由に乗り降りできる切符なのだが、彼らはそれを都区内にある東中野駅で乗り降り自由の切符として使うのだ。

語学生たちは改札出口で切符を一瞬かざすので私も構えてそれを回収しようとする。切符を素早く掴むと引っ張り合いになり、若い語学生は強引に持ち去ろうとした。ちぎれた切符を手に走り去っていく者もいたし、ちぎれた切符を見てベソをかいている女子学生もいた。

東中野駅での助勤はそんな繰り返しだったが、私はある時から切符の引っ張りあいはやめることにした。ＪＲになった時、要員センターへの配転を強制されたことを思い起こし、思いを新たにしたからである。我に返ったのだ。改札口でトラブルになった場合、私にとって良いことはなに一つない。たとえ私が乗客の暴力の被害者になったとしても国労組合員であるということだけで勤務成績不良とされかねない。バッヂをつけているのがトラブルの原因だなどと一方的に悪者とされ、昇給を二段階落されるのが落ちである。北海道からの国労組

＊広域配転：国鉄からの移行時、自主退職者が予測を超えて多くでたＪＲ東日本では、定員割れした人員を「余剰人員」を多く抱えた北海道や九州からの転勤者で補ったため、地域を越えた配転が行われた。

合員たちには争いを避ける冷静さがあった。改札業務でも彼らは先輩であった。それを見習ったのだ。

「この駅で終わりですよ」

走り去る姿にそう告げるにとどめ、見送ることにした。

さっき足早に去ったコートの女はやはり中国からの語学生のようにも見えた。この近辺に日本語学校でもできたのだろうか。そんな思いを抱いたのだが、語学生らしい姿をその後見かけることはなかった。

荻窪駅に再び助勤にいったのは、駅長との言い争いがあった三カ月ぐらい後だっただろうか。またあの駅長とやり合うことになるのか。そんな緊張感を抱えながらラッチに立っていると、制服姿の助役がコンコースに広がる降車客の中を私のラッチに近づいてくるのが見えた。よく見るとこの間駅長にバッヂの件で煽られてロボットのような言い方をしてきた助役だった。

「ご苦労さん！」

助役はにこやかな笑顔を見せて私に声をかけながら通り過ぎ事務所に入っていった。私はあっけにとられ、後姿を見送るだけだった。

「あの駅長はどうしたんですか」

隣のラッチの社員にそうたずねた。

「転勤したよ」

その答えで助役が晴れやかな顔をしていたのも、私を再び助勤に呼んだのも納得がいった。バッヂを外せなどと言いださなければ、なにごともなくにこやかに一日を過ごせるのだ。ラッチに立つ社員たちにも前回と違って表情に硬さは見られなかった。後日、分会長にこのことを伝えると、問題の駅長はバッヂ外しの強要が高く評価され栄転したとのことだった。新しく赴任した拝島駅は八高線や西武線との乗換駅でもあり、ヤードも持っている。

「駅としての格がずっと上だからね、まあ、大栄転だよね」

分会長はそう言って苦笑した。私も嗤うしかなかった。


私たち助勤者の毎朝の点呼は、いつも国労バッヂが踏み絵としてあった。国労バッヂは一センチ四方の小さなものだ。レールを輪切りにした図柄で鉄道に働くものの自覚とプライドを表していた。それを外すことが業務命令となり、従わなければ処罰された。バッヂだけでなく同じ図柄のものも全てが対象となった。ワッペン、ネクタイ、ネクタイピン、バックル、手帖の胸ポケットの上にのぞいている部分などである。業務命令違反で昇進は見送られ、資格試験の受験資格を失った。昇給もカットされた。たとえバッヂを外しても同じことである。今度は組合脱退が強要された。それは国労分会への脱退届かその写しを駅長など現場長に提出して脱退が確認されるまで続いた。これは若い組合員にとっては耐え難いことであった。毎年の昇給がゼロか良くてもほかの組合員の半分ほどに削られた。それが一年か二年ならまだ耐えられる者もいたが、三年が限度だった。顔を伏せ硬い表情で脱退届を持ってくる組合員が私が所属した田町電車区*分会にも多くいた。ＪＲになってからも同じように行われ、むしろ民間企業となって強化された。

私の要員センターの勤務は形のうえでは運転士との兼務だったので、給料日には明細書を受け取りに自分の電車区に帰るのが常だった。その時には品川駅の一一、一二番ホームのキオスクに強制配転された運転士仲間たちと会うのが心の支えの一つだった。田町電車区とは至近の距離なので運転士たちの交代も多く、見せしめ的な意図もあっての配転だったのだろうが、逆にホームで乗り降りする多くの組合員たちからの情報も集まった。

この間の国労の置かれた状況は芳しくないどころか、次第に絶望的な状況に追いやられていた。国鉄の多くの紛争を扱ってきた労働委員会*では、当初は組合側の主張が多く認められていたが、国鉄からＪＲに業務が移り、紛争が裁判所に移ると流れが逆転し始めた。ＪＲ当局側の政治力の強さを改めて思い知らされた。

九八年五月二八日、東京地裁での国労の逆転敗訴*の知らせを私が聞いたのは芝公園の中央労働委員会の庁舎前だった。その集会は小雨の中、集まった組合員の数も多くはなく、盛り上がりに欠けるものだった。

「政治の力が働いた」

一人だけ姿を見せた国労の幹部役員はそう呟くだけだった。みんな黙り込んで腕を組み、目線をさげていた。暗たんとした気持ちになってしまい、言葉がでずにため息を呑み込んでいる。そんな時間が過ぎていった。

私たちの田町電車区でも分会として不当差別の強制配転を提訴していた。それはどうなってしまうのか、なかったことになってしまうのか。大きな争点になっている一〇四七名の不採用問題*だけを政治的に解決することで全てを決着させてしまおうする動きが政党間にあるという話もあった。もしそうなった場合、これまでみんなでやってきた闘いや処分の取り消し訴訟はどうなるのか。宙に浮いてどこかへ消えてなくなってしまうのか。

肝心の一〇四七名の不採用問題にしても確かなものは具体的にはなにも示されておらず、

*電車区：電車の日常のメインテナンスやオーバーホールなどと同時に運転士を育成、乗務させて運行管理を行なう現場機関。同様に機関区、貨車区などが置かれていた。
*労働委員会：労使間の紛争を調整し解決するための公正中立を原則とする行政機関。労働組合法に基いて国と各都道府県に置かれている。
*国労の逆転敗訴：不採用問題でJRには責任はないとする判決が出された。
*一〇四七名の不採用問題：一九八七年、JR設立委員会で採用差別が行われ、「清算事業団」に不採用の一〇四七名の職員が収容された。二八年後の二〇一五年六月最高裁判所で設立委員会内での不当労働行為があったとの判決が出された。

政党間の駆け引きの中だけで動いていた。なぜそうなってしまうのか。しかも、まだ私たちは「それを国労が承認しそうだ」ということに気づいていなかったのである。

再び二日目の朝

今朝は五時三〇分に起こされた。昨夜、仮眠室の下段のベッドにもぐり込んだのは〇時三〇分頃、五時間足らずの仮眠時間だった。

ロッカー室に入ると有山君が立ったままストーブで暖をとっていた。私も目覚めていない身体をストーブで暖めていると、有山君が私に問うでもなく一人ごとのように言葉を発した。

「今朝はなにをしようか」

有山君の目線を追うと、ストーブの上の薬缶あたりにあったので返事に躊躇し、有山君もまだ半分眠っているのかも知れないと思った。

「そうですね」

私は曖昧に返した。

昨日の朝が初対面の有山君が一回限りの二四時間勤務の上司になったのは、彼が国労の組合員だったということから駅当局が勝手に決めたことだ。国労という共通の価値観を過去に持っているから話しやすいだろう。ただそれだけの理由で私と駅当局とのクッションの役目を担わされたのだが、私にも同じ先入観があったかも知れない。有山君は無表情で無関心なモノクロでサイレントな社員ではなさそうに思えてくる。大きいのに素早いし、助役にもはっきりした物言いをして、私には好青年として映った。

「通路の掃除でもやってもらうか」

有山君はそう言って私の顔に視線を向けてきた。私は今度も曖昧に頷いた。ロッカーの脇から彼が持ち出してきた箒と塵取りを私は黙って受け取った。掃除ぐらいしかないのだろう。外は風もあって冷えているようだった。

コートと手袋をつけ、身体を暖めてから外に出た。通路からホームへの階段、そして通路へ。煙草の吸い殻や吐き捨てたガムや包装紙。まるめたチリ紙などは跨線橋の通路に多い。時折吹き抜けていく風は足首から体温を奪う。ひと回りして戻ってきたのは六時を少し過ぎていたろうか。しばらくストーブで身体を暖める。体が少しずつゆるんで足首に感覚が戻ってくる。時計を見ると、六時一五分だった。九時まであと三時間ほどだ。身体に暖かさが広がってくると緊張感も緩んで身体が重くなってくる。

ドアの開く音に顔を上げた。有山君がドアをくぐって隣室から帰ってきた。一緒に身体を暖めていたが、私の顔を見ると言った。

「自動改札機が入ったのだけど、やったことある?」

私は試験的に扱ったことはあった。助勤先の一つだった千駄ヶ谷駅は国立競技場や神宮球場などスポーツ施設でのイベント対応に導入を予定していた。基本的な扱いは教えられている。自動改札機の難点は、長距離切符など大きな切符を巻き込んでしまうと手に負えず、メーカーの係員に駆けつけてもらうしかなかった。

「やってみるか」

私が千駄ヶ谷駅での話をすると、直ぐに有山君はそう言って私を促し、改札口に向かった。改札口の周りは改装されていて自動改札機が七台並んでいた。その真横の少し高い位置に小さな部屋が作られ、社員が二人入って大きな窓から改札口を見下ろしている。一人は立ったままだ。ホームにつながる階段から改札口に向かう通路の出口に助役が一人、壁を背に改札機を見つめていた。私と有山君は社員の入っている小部屋とは反対側の改札機の横まで移動して通勤者の流れを観察した。ホームに電車到着のアナウンスが流れ、しばらくすると騒めきとともに人の波が押し寄せてきた。すると改札機にランプが点りチャイムが鳴りだす。社員が小部屋から飛びだすようにでてくるのを私たちは見ていた。

不意に有山君が歩きだして助役のところに向かった。なにごとか話をし始めたが、私に改札口を担当させるよう話しているのだろうか。助役は首を横に二度振った。有山君の話しを拒否しているのだ。二〇数年乗り続けてきた運転席から私を下ろし、員数外社員としたのだからそれは当然のことなのだ。

「駄目だって」

戻ってきた有山君は私にそう告げると歩き出した。直ぐに近くの部屋のドアを開けて覗き込み入っていった。空き部屋のようだ。部屋は隣の改札口の建物とは別の棟で木造の古い建物だった。広くもない床の奥に長テーブルが重ねられ、事務机などが押し込まれている。倉庫代わりのようでもあり廃屋のようでもある。

カールビンソン

私はこの部屋から有山君が出ていったあと、一人で切符の選別作業を続けていた。選別を終えて残った小さな切符をテーブルから床の段ボールに落とし、新たに麻袋から切符をテーブルに載せる。単純な作業をまた何回か繰り返しては、私はガラス窓の向こうの広場を見つめた。人と人との間に孕んでいた闇に光が入り、色彩をおび始めていたが、そこから立ち昇ってくるようなものはもうなにも見えない。ただひたすらに先を急ぐ通勤者の群れがうねっているだけだった。群れのうねりの中から立ち昇ってくる大蛇のようなものが見える気がしたのは光の差さない広場で見た幻覚だったのかも知れない。そう考える以外になかった。員数外の扱いにいつまで耐えることができるのだろうか。挫折感と不安に襲われて弱気になり、ありもしないものを幻覚として見てしまったのだろう。

朝の陽差しは広場の向こうの駐車場を包み込み、広場の端にも広がり始めていた。通勤者の流れは相変わらずだったが、少し疎らになったようである。まだラッシュは終わっていないと思い、時計を見上げる。ラッシュ時間の目途とされる八時三〇分にはまだ一〇分ほどあった。麻袋に腕を突っ込み、袋の底に残された切符を探った。あと四、五回テーブルに載せれば空になってしまいそうだった。

改札口から断続的にチャイムの音が聞こえてきた。これまでの改札口では聞かなかったものなので鳴り続けると気になってしまう。最初は聞き流していたが、いつまでも止まらず鳴り続けている。それに新たなチャイムが加わって二台の自動改札機に切符が詰まってしまったようだ。それに加えて日本語ではない言葉の叫び声だろうか、甲高い声も聞こえる。チャイムの一つは一旦止んだが再び鳴り始めた。声も違う複数の甲高い声が聞こえだす。

ガラス窓から広場を覗いてみた。広場の中ほどに欧米系と見られる若い男たちが軽装姿で乗り換え口に向かっていく。四、五人連れで上半身Tシャツ一枚の男もいる。後ろの二人はまだ改札口で声を上げている仲間たちを振りかえり、笑いながら幾度も手を振って呼んでいる。私には次元の違う世界から突然飛び込んできた人たちのように見えた。私は手を止めテーブルを離れてドアの外に出てみた。

広場に向けて二、三歩前に出ると左側に改札口の全体が見えてくる。改札機の内側と外側に五、六人の欧米系の若者たちの姿があった。彼らは広場を歩いていく仲間たちに声を掛けたりしている。これが噂の空母の乗組員なのか、そんな思いで見つめた。四、五日前のニュースに「原子力空母のカールビンソンが横須賀港に入港する」とあったのを思い出した。

有山君の姿もあった。有山君はコート姿のまま腕組をし、改札口と部屋の間の壁を背に社員たちのいる改札口を見ている。窓口には担当の社員が二人並んでいたのだが、前に立つ空母の乗組員と思われる茶髪で体型のがっしりした男に鋭い口調で問いかけられている。社員たちは押し黙りただ立っているだけなので、茶髪の男は意思疎通ができず苛立っているようだ。

「空母の乗務員たちですよ。六本木にいくらしいのだけどね」

私に歩みよってきた有山君はそう言い、改札口を見続けている。横須賀港を母港とするアメリカ海軍の空母などが入港するたびに乗務員たちは六本木を目指してこの駅で乗換えるのだ。そういう話は要員センターでも噂いとともに話されていて、手に負えない人たちという受止め方が多かった。

私はしばらく眺めていた。窓口で改札の社員に鋭い声で話しかけていた士官とも思われるがっしりした体型の男は手にしていた切符を窓口に放り込んだ。そして首を横に振りながら窓口を離れ、改札機のバーを跨いで広場へ去った。改札社員の二人は立ち尽してうつむいたままだ。

私は部屋に引き返して切符の選別作業を続けた。空母の乗務員と会話ができなければ、その対応が難しいのは当たり前だ。中国からの語学生たちとは違う。乗組員たちは運賃が不足なら精算する、そう意思表示をしているようにも見える。そんなことを考えながら作業を続けていたが、再びチャイムの音と男たちの甲高い声が聞こえてきた。チャイムの音が二つ三つと増えて、男たちの叫び声も複数になった。空母の乗務員を乗せた次の電車が到着したのだ。そう思いながら作業を続けていたが、いつまでもチャイムが鳴り止まない。ガラス窓に目を凝らして広場を見ると、やはり空母の乗務員らしい男たちが五、六人、話を交わしながら地下鉄の乗換口に向けて歩いていく。その屈託ない様子を見ていると改めて次元の違うところからきた人たちだ、そんな思いに襲われてしまう。前かがみで急ぎ足の通勤者の群れの中では、そこだけが別世界のように見える。

それにしてもいつまでも止まないチャイムの音が気になった。不審に思い、また広場に目をやると乗組員とみられる男たちが二人、三人と続けて広場を歩いていく。私は手を止め、再びドアを押して外に出た。

通路の出口に空母の乗務員と見られる男たちが二人立っていた。一人が広場をいく仲間たちになにか叫んでいる。広場の一人が振り返り腕を大きく振って呼ぶと二人はそれに応じ、手にしていた切符を捨てて広場に駆け出していってしまった。改札口脇の小さな部屋には二人の社員と通路には助役や有山君もいたはずだ。どうしたのだろう。そう思いながら周辺を見渡したが、どこにも彼らの姿を見つけることができない。改札機のチャイムの音も止んで二台の自動改札機が橙色のランプの点滅を繰り返しているだけだった。

地響きのような靴音が通路から響いてくると直ぐに乗客たちが改札口に押し寄せ、見る間に改札機の前に大きな人溜りができてしまった。自動改札機に不慣れで戸惑い気味の乗客が多い。故障機が二台もあってランプが新たに点灯し始めている。精算しようとする乗客がいるのだが、窓口には誰もいない。戸惑っていた通勤客の一人が窓口の脇をすり抜けて広場に出ると、後ろの人たちも次々と続き、大きな流れができて人溜りは次第にしぼんでいった。しかし、しばらくするとまた靴音が響いてきて、人波が改札口で大きく膨らんだ。

朝のラッシュが収まってもいないのに改札担当者が誰もいなくなってしまうというのはどういうことなのか。周辺を探したが助役や改札員、有山君の姿もどこにも見当たらない。つい先ほどまで空母の乗務員たちを一緒に見ていたはずなのに不思議だった。

自動改札機の前の人波が途切れた時、広場から改札口に入ろうとしている年配の女性たち二人の姿に気づいた。自動改札機の前を行ったりきたりしている。私は声を掛け、用件に応えようとも思ったが、それが処分の口実にされかねないことを思い起こして止めた。指示された以外の行動はどんなことであっても処分の対象とされかねなかった。ＪＲに移行した翌年の冬に東中野駅で追突事故が起きた時、近くで保線作業をしていた国労組合員たちが事故に気づいて自発的に現場に駆けつけて負傷者の搬送に当たったことがあった。それが後に職場放棄に当るとして減給処分された事例があった。私はそのまま部屋に戻った。

空母の乗務員たちがどんな切符を持っているのかも分からず、通勤客と一緒に自動改札機に通したのが混乱の原因だと考えざるを得なかった。なんらかの対応策を考えておくべきだったのに、それを怠り無人状態のまま放置した。これを職場放棄と言わずになんと言うのか。改札の責任者である助役も一緒になって姿を消してしまう。こんなことは国鉄時代を通してなかったことだ。

横須賀港に空母が寄港し、乗務員たちが六本木を目指すようになったのは八四年頃からである。話題になっていたのになんの対応策も用意していなかったとすればおかしなことだ。言葉の壁があるというのなら、英語で書いたプラカードをつくって空母の乗組員たちを一カ所に集め、二、三人で不足金などの対応をすれば自動改札機を通さずに出してやれる。多くても二〇人ぐらいだろうから、改札員二人に有山君と助役を入れて四人いたらなんとかなる。なんなら私がプラカードを改札口の前で掲げ、乗組員たちを小部屋の脇に誘導してやってもいい。それくらいならできるだろう。

そんなことを考えながら袋の底に腕を伸ばしたらほとんど切符は残っていなかった。両手で袋を逆さにして残った切符を段ボールに落とし、折りたたんでテーブルに載せる。木箱に収めた切符類をもう一度チェックして時計を見上げた。助勤終了の九時まであと一五分あった。思ったより早く、なにごともなく終わりを迎えられそうだ。広場に目を向けると行き交う通勤者の姿がまばらになり、昨日有山君といった東口へ上る道も見えてきた。やはり、朝の通勤ラッシュは八時半頃までなのだと改めて思いながら広場を見つめた。急ぎ足の人も混ざるなか、ゆったりした足取りの人たちが多くなっている。

歩きだした「遺失物」のコート

広場から東口への通路に目を戻すと有山君の姿がそこにあった。なにかを抱えている。オーバーコートだろうか。灰色の男物のようだが重そうな足取りだ。右手には紙袋も下げている。空母乗務員の騒ぎの後、どこに消えたのかと思っていたが、いいタイミングで戻ってきてくれた。

有山君は広場の向こう側を回り込むようにこちらに向かってくる。横断歩道を渡り終えた人の波に包み込まれる形になったが、歩みを止めることなくくぐり抜け、招福神像の右側の空き部屋の前まできて足を止めた。右手の紙袋を足もとに置いて、その右手でガラスの引戸を大きく開けると左腕に抱えていたオーバーコートを勢いをつけて部屋の中に投げこんだ。コートは腕に抱えられた「く」の字の形のまま宙を飛び、反対側の壁に当って窓の下に落ちた。乱暴な扱いだった。遺失物なのかは不明だが、私はその扱いに驚きながら見ていた。

有山君は引戸を勢いよく閉じると腰を屈めて紙袋を手にし、また歩き出したが、顔をうつむけている。私は腰を上げ、腕を伸ばしてドアを開けようとした。有山君が部屋に寄らずに通り過ぎてしまう気がしたのだ。案の定、私がドアに腕を伸ばしているその前を有山君は顔を下に向けたまま通り過ぎてしまった。私はあっけにとられ、その後姿をドアのガラス越しに見送るほかなかった。

　紙袋を置いたら戻ってくるのかも知れない。そう思って私は椅子に戻った。しかし、なにかが変だった。有山君の様子だけではない。オーバーコートが遺失物でないとしたらなんなのだろう。私はコートが投げ込まれた部屋に目を戻した。空き部屋のガラスの引戸の向こうの床に灰色のコートが投げ込まれたままの形で見えた。なぜあの部屋に投げ込んだのだろう。忘れ物なら改札詰所の遺失物保管場所まで持っていくはずだし、この時期、防寒着を忘れる乗客などいるのだろうか。それに勢いよく投げ込んだことも引っかかった。勢いをつけて向こう側の壁に当るまで力を入れなくても、床にそのまま置けばすむことである。なんで投げ込んだのか。

　どこかおかしかったけれど私は帰ることに決めた。切符の整理は済んでしまったし、待ち焦がれた勤務からの解放時間に間もなくなろうとしている。有山君を待っていても意味がない。なにか事情があったのだ。そう考えて長テーブルの一つを折りたたんで運び、電気ストーブのコンセントを抜いて元の場所に戻した。そして帰る前にもう一度、コートが投げ込まれた空部屋の中を覗き込んだ。

　私は目を疑った。「く」の字だったオーバーコートが、三日月のような丸みを帯びた形に変わっている。見間違いだったのか。そんな思いと、確かに「く」の字だったという確信が交錯する。膨らむ不安の中で引戸の中のコートを凝視し続けた。しばらくすると片方がもう一方の端にゆっくりと引き寄せられるように動きだす。三日月形の真ん中から、内に折れ曲がり始めたのだ。

　オーバーコートが巨大な芋虫のように動き始め、私はその動きを凝視し続けた。動き始めた片方が今度は少しずつ折り畳むように縮み始め、もう一方に寄せられていく。放り込まれたものはオーバーコートではない。生きている人間だ。そんな確信が胸を駆け抜ける。縮む動きが止まると、もう片方の端がいきなり起き上がり、上に伸びて垂直に立ってしまった。コートの裾をよく見るとベージュ色のブーツらしいものが床との間に見えた。立ち上がったオーバーコートは四、五秒すると引戸に近づきそこから外に出た。

　外に出たコートは一旦立ち止まったが直ぐに駅舎に背を向け、駐車場に向かって歩き出した。私はドアを開けてコートの後を追った。本当に人間なのか、男か女か、どんな人間なのかを確かめなければならない。裾の下からわずかに見えるブーツが互い違いに動く。その足の運びから、コートは女性と分かる。大きな襟を全て立て、その立てた襟の間に髪の毛らしい茶色のものがわずかに盛り上がっている。小柄な女性が男物の大きなオーバーコートを着て、立てた襟の中に頭を埋め、襟の間から前を覗いている。そう判断できた。右足のブーツを少し引きづり気味であることも分かった。

コートは立ち止まると、突然向きを変えてこちらに戻り始めた。後をつけていた私に目標を変えたのか。一瞬ひるんだがいまさら逃げるわけにもいかない。近づいてくるコートと正面から向きあう事態になった。立てた襟からでている髪が歩みに揺れながら近づいてくる。襟元を押えている右手の奥に二つの目が鈍く光っているが、顔の輪郭や表情は全く分からない。鈍い二つの光だけがこちらに向けられている。ところが、コートは私の目の前でわずかにそれると、そのまま通り過ぎてしまった。

先には交番があって、中年の警察官が広場に向かって立っていた。コートは有山君から受けた暴力を訴えるつもりなのか。そんな思いでコートの後ろ姿を見つめていたが、警察官の直前で左に曲がると横断歩道の信号待ちをしている人たちの後ろに立ち止まった。コートの後ろにも信号を待つ人たちが集まってきて、コートの姿が隠れてしまった。信号が青にかわり人波が動き始めた。コートも人波の後ろで歩きだしている。まわりの歩行者より背丈も小さく、相変わらず立てている襟の間の茶髪が揺れている。やはり右足は引きづり気味だ。向こう側からくる人波と交差し、人々の間をもまれるように右に左に揺れまがりながら道路を渡り終え、商店街に向う人の流れの中を見え隠れして遠ざかり、コートは消えてしまった。

私は部屋に戻った。部屋の中の木箱も区分けした乗車券もそのまま長テーブルの上に残されている。有山君が戻ってきた様子はない。椅子に腰を下ろし、どうしたらよいのか考え込んでしまった。コートの正体は小柄な女性と想像でき、たぶん中国からの語学生だろうと私は推測した。すると今度は有山君の行動が理解できなくなってしまった。東口の改札でコートとトラブルがあったと想像しても、なぜその乗客を有山君がオーバーコートにくるんだまま、広場を横切って運び、空き部屋に投げ込んだのか分からなくなる。なぜ生きている人間を遺失物のように抱え込んだまま広場を歩いてきたのか。東中野駅での語学生のような長距離切符の不正使用だとしたら、その場で切符を回収すればすむことではないのか。それがなぜできなかったのか。そんな思いにとらわれて椅子に座り続けた。

これは有山君に直接問うてみなければ分からないことだ。有山君はコートとどんなやり取りをしたのか。しかし、それを有山君に問うのは無理なようにも思えた。私が待つ部屋の前を顔をふせたまま通りすぎて、九時をすぎた今になっても部屋に戻ってこないのは、私に会いたくないということなのだろう。無理して会ってもコートの話などできるとは思えない。もう組合員でもないのだし、まして昨日初めて会ったばかりの私に心の内側のデリケートな部分まで話すことなどあるだろうか。

JR冥界?!

有山君は原子力空母カールビンソンの乗組員たちへの反発と反感からストレスを抱え込こんでしまった。そのまま東口の改札に立った有山君は、コートの長距離切符の強引な使い方に誘発されて抱え込んでいたものを爆発させた。私はそんな結論にたどり着いた。

今朝、最初に聞いたチャイムの音で改札口に出ていった時、聞きもしないのに有山君が寄ってきて告げたのだ。

「空母乗組員たちですよ」

有山君は乗組員たちに苛立ち興奮していたのではないか。その乗組員たちは当たり前のように英語を使って傍若無人に二人の改札社員を問い詰めていた。うつむき黙している社員たちに気を使うこともなく、まくし立てて、最後には切符を窓口に放り投げて去っていってしまった。広場をいく男たちは振り返ってこちらを嘲笑ってさえいたのだ。世界最大の空母カールビンソンの行く手を阻むものはなにもない。有山君や改札担当社員の目に空母乗務員たちの態度はそう見えたのではないか。それが著しく有山君たちのプライドを傷つけてしまったようだ。

自分たちは国鉄改革を担い、ＪＲの発展のためには身も心も尽くしてきた。国労のように労働基本権を持ち出して会社を正すことなど一ミリたりともしなかった。逆に、なにごとも仕事に影響を及ぼさないように労働基本権を返上し、会社とは「労使共同宣言」*を結んで毎日仕事に邁進してきたのだ。「会社はオレたちが守っていく」「オレがやらねば誰がやる」そんな気持ちでやってきたのだ。

それなのに空母の乗組員たちは切符も正しく買ってこないばかりか、自動改札機の赤ランプを無視しバーを跨いで勝手に出ていってしまう。そんな空母の奴らは絶対に許すことはできない。自分たちの精いっぱいの頑張りに少しも敬意を払っていないし、日本人のような従順さを少しも見せないばかりか、オレたちを見下している。「日本にきたら日本語で話せ」、そう怒鳴りつけたかったが、しかしそれはできなかった。

空母乗組員たちに対応する能力をなにも持たない自分たちに気づいて、有山君たちは雲隠れしてしまう以外にプライドを保つ方法がなかったのだ。私はそんな推測をしてみた。しかし、もしそうだったとしても有山君は本当にそんな自分本位の単純な思考からコートへの暴力行為に移っていったのだろうか。

私がこの駅での勤務を分会長の小島に相談した時、小島は有山君の前歴に触れ、彼が国労組合員だったこと、JRになって二年目の八九年に脱退したことを私に知らせた。私には有山君が八六年の修善寺大会*を越えて国労に残ったことが心に引っかかった。

有山君は嫌がらせや昇給などでの差別を覚悟して国労に残ることをいったんは選択した。

---

*労使共同宣言：八六年一月、国鉄当局と動力車労働組合（動労）など三組合との間で結ばれた協定で、分割民営化に積極的に取り組むことを表明した宣言。

*修善寺大会：国鉄当局が最終として提示してきた「労使共同宣言」を拒否した国労の臨時大会。労働者の権利を放棄しない立場をとった者が多数を占めたが、その後国労は分裂した。静岡県修善寺で行われた。

その分、国労への失望も大きく、その結果の脱退だったと言えるかも知れなかった。実際に会った有山君は、ほかの社員とは違って個人としての表情を持っていた。助役と交渉してくれた自動改札機の件では「員数外社員」の枠を外そうとする思いも見えた。彼に期待を繋いでみたい、そんな思いがあった。

しかし、私をひどく驚かせたコートの件がなぜ起きたのかを問うのが先ではないか。遺失物と思っていたコートが動き始めた時の衝撃がまだ重く胸に残っている。不正乗車を懲らしめるため、あるいは中国人だからというのであれば、なおさら事態は深刻だ。オーバーコートにくるんで運び、あげくに部屋の中へ投げ込んだ行為は暴力行為そのものである。その暴力的な行動はどこからきているのか。ＪＲにとって言いわけの効かない人権問題である。東口改札には有山君のほかにも社員たちが居あわせたはずで、有山君にその行為を促したか、あるいは黙認したかは不明だが、見ていたのではないのか。これは有山君一人の問題ではなく、ＪＲ全体の問題ではないか、そんな思いが胸に突き上がってくる。

ＪＲになってからの現場の実態を考えてみると、ＪＲは人権を排除し、そのかわりに暴力を取り入れた。助勤を続けてきてそう強く思う時がある。同時に、まだ通勤ラッシュが終わってもいないのに、改札口を無人にすることなど国鉄時代には考えられなかった。国鉄時代には個々の職員がプライドを持って仕事を担っていて、職場全体でそれを支えあっていた。プライドが台なしにされたから雲隠れするなどということは考えられなかった。職場のなにが変わったのか。なにがそうさせたのか、それを確かめたい。そんな思いが強くあるのだが、いまこの駅ではできない。有山君がどこにいるかも分からず、戻ってくる気配もないのだ。

壁の時計を見上げると、針はとっくに九時を過ぎて、九時一〇分をさそうとしていた。私は立ち上がって椅子をたたみ、それを手に持ちながら歩き出した。その時突如ある思いが胸を貫いて私は思わず足を止めた。今朝、切符の選別作業の手を休めて窓ガラス越しに広場を覗き込んだ時に見えた大蛇、通勤者の群れのうねりの中から浮かび上がった大蛇に有山君は呑み込まれてしまったのだ。

大蛇は本当に存在したのだとの思いがあった。直ぐに嗤いが込み上げ妄想の類として除けたのだが、それを打ち消すほかの記憶が甦った。昨日の点呼が終ったあとの社員の姿だ。自分の感情を全て呑み込んでしまった硬直した表情のまま、私の前を通り過ぎていった彼らを思い出したのだ。あの社員たちも広場の大蛇に呑み込まれ、抜け殻にされてしまっていたのだ。そう気づいて再び足を止めた。抜け殻にならないと生きていけない社会なのかも知れない。そんな思いが胸に渦巻いて、暗澹とした記憶の中に陥ってしまった。椅子を元の場所に戻して引き返す私の胸に分割民営化前のさまざまな出来事が甦り渦巻いていた。

国労から組合員が雪崩をうつように脱退していった頃の光景だ。泊り勤務の明け番で居残り、組合事務所でチラシなどを作っていた。一人の組合員が事務所に入ってきた。私と話していた組合役員のところに真っ直ぐくると、言葉少なく脱退届を手渡した。役員が引き留めて話を聞こうとするのを振り切って去っていった。また、話合いには応じたが、薄笑いを浮かべ攻撃的な言葉で自己を弁護し、別人のような言動をして去っていった元組合役員もいた。その年の暮れ、職場の忘年会の席で乾杯がすんだばかりの時、一緒に闘えないことを告げて、仲間に平身低頭謝罪しながら最後に今月かぎりで退職することを告げて去っていった者もいた。

国鉄総裁から労使共同宣言の提案があったのは八六年の正月を過ぎた頃だったか。同じ年、廃止となった機関区や貨車区に「人活センター」*が設置され、職場に残っていた国労のリーダーや組合活動に積極的だった者が人活センター勤務とされた。国鉄から追いだすためのセンターであり、見せしめとしての収容所センターと噂された。

「労使共同宣言を結ばない国労の組合員は、当然新しい会社には採用されないし、採用されるべきではない。採用への努力を自ら放棄したのだ」

率先して共同宣言を締結したほかの組合からは、連日そんな趣旨のビラが配られ掲示板に張り出された。共同宣言を結べば無条件に新会社に雇用されることが宣伝される。拒否した国労は組合として労働者に対して無責任だと攻撃された。国鉄当局もそれに呼応するように露骨に国労組合員を差別し始め、国労の運転士たちを三カ月先まで定めた乗務交番*から外した。日常生活のカレンダーを取り上げられたも同然である。私も予備交番*に移され、運転席からも下されて戻ることなく強制配転させられてしまったのだ。「会社に協力しなければならない」というその姿勢はいまだに社員たちに残っている。というより形を変えて一層強まっているかも知れない。それがコートを抱え込んで運んだ有山君の動機の一つになっているのではないか。そんな推測をしながら私は部屋を出た。

通路からのドアを押して入ると昨日の朝と同じ姿勢でワイシャツ姿をした事務助役が机に座っていた。

「助勤終りました」

私の言葉に助役は点呼場の後ろの壁に掛かっている時計を見上げてから顔を私に移した。

「出しておきますから」

少し怪訝な表情をしていたが、助役はそう言うと机に顔を戻した。出しておくと言ったの

＊人活センター：人材活用センターの略称（一三二頁以降参照）。
＊乗務交番：運転士や機関士たちの勤務日程表。運転士は三カ月先まで、機関士は六カ月先までの勤務が確定し、それに従って各自の日常生活が営まれた。
＊予備交番：臨時列車や欠勤者の穴埋めに乗務する予備交番は、四日か五日先までしか勤務予定が定まらない。

は助勤簿のことだ。昨日の朝から今朝までの勤務時間を記入して駅長印を押した助勤者専用の勤務簿である。九時を二〇分も過ぎているので怪訝な表情をしたのだろう。そんな顔をするくらいなら前もって出しておけば直ぐ渡せるはずだ。

昨日の朝と同じようにドアを押してロッカー室に入った。有山君の姿も見えず、誰もいない。点呼が終ってそれぞれの持ち場に散っていったのだろう。一人きりのロッカー室で私は着替えをすませた。有山君にコートの話を聞こうという気持はもう残っていなかった。

バッグを肩にかついで事務所に戻ると助役は同じ姿勢で机に向かっていた。

「そこに置いてあるから」

私が近づくと、そう言って助勤簿の置いてある机に顔を向けた。端の机の上にバッグを置き、助役の横の机から黒い表紙の助勤簿を持ってくるとそれを開いた。昨日の朝の九時から今日の九時までの数字の後ろの欄に駅名と駅長の押印がある。それを確かめ助勤簿をバッグに押し込んで肩に担ぎ、無言のまま出口に向った。ＪＲになって多くの駅に助勤に出されたが、助勤簿を受取って帰る時に「ご苦労さん」などの言葉はこれまで一度も聞いたことはない。ワイシャツ姿の助役も終始無言で顔を机に向けたままだった。

昨日の朝入ってきたアルミのドアを押し開けて通路にでた。かすかなきしみ音に続いてドアの閉じる音が背後で響いた時、身体に積み重なっていた疲労感が肩から腹の底へ一度に落ちていくのを覚え、私は足を止めてバッグを担ぎなおした。

改札口にむかう狭い通路の囲いを抜け、新しくできた自動改札の窓口の後ろに回り込むと、改札担当の二人が新たな二人と交代しているのか、社員四人で顔を寄せて話し込んでいる姿が見えた。今朝の空母乗組員たちの話しでもしているのかも知れない。私は社員たちの近くまで歩いていった。このチャンスを逃すべきではない。彼らの会話を聴いてみよう。初めてのこの駅では、有山君が運んだコートのことや空母の乗組員たちを前にしての「雲隠れ」など理解できないことばかりだった。

どのように空母乗組員に対応すれば良かったのか。その後改札口を空けたままどこでなにをやっていたのか、聞いてみたかったのだ。しかし、四人の社員たちの会話の切れ切れから理解できた内容は、間もなく実施される主任者試験のことだった。年に一度の大事な昇格試験なので空母乗組員たちの行状などに関わっている暇などないということなのかも知れない。私は改めて彼らを見つめなおした。彼らは、近くに立っている私の存在など眼中にない様子で話を続けている。待合せの乗客の一人と思っているのかも知れない。

陽の差し込む広場を背にして屈託なく話し込む社員たちと私とは、大きく立ちふさがる目に見えない壁で、生者の世界と死者の世界とに分け隔てられている。そんな錯覚を覚えてしまう。国労に所属している私からみれば、彼らの職場は「冥界」そのものであった。ついさきほどワイシャツ男から助勤簿を受け取り、ドアを押し開いてそこから抜け出してきたばかりなのだが、ドアの中のひんやりした疎外感は息苦しいほどであった。

　空母乗組員の行状を改札員と一緒に見ていた時もあったのだ。しかし、彼らには私は壁の向こう側の、以前「国労」とか言われた人間としてしか認識されていないようでもあった。「労働者」などという共通の認識は過去の遺物とされてしまっている世界なのだ。自分たちの世界とは全く違う他者としてしかみていない。国労組合員との意思の疎通など同じ職場に働く者として全く必要ない。そんな意思表示とも言えるものが誇示されているように思えた。同じ職場で働きながら、意思の疎通が意図的に阻害されていて話したくとも話せない。会話ができない。そんな状態の職場は職場と言えるのだろうか。そこは職場ではなく、まるで死後の世界だ。私はそこに出勤を余儀なくされている。そんな実態の勤務なのだ。

「いまに始まったことではないからなあ」

　そんな諦めともつかない言葉が吐息とともに出てしまう。私は彼らのそばを離れて自動改札機前のホームへの通路口に向かった。


　通路口から見る広場は陽が降りそそぎ、影を落とした人たちが行きかっていて、早春の暖かい一日となりそうだった。私は黄金色にかがやき、まばゆい光をはね返している改札口の前に建つ招福神像を見つめていた。黄金色に塗替えられ、光り輝く像を間近に見るのは初めてだった。ＪＲの発足を祝して地元商店街のライオンズクラブが化粧直しをしたと聞いたのは新宿のセンターにきて間もない頃だった。以前は落ち着いた緑銅色で広場とバランスのとれた風情のある像だったと記憶している。巨大企業となったＪＲとの共存共栄を願って黄金色に塗替えられたのだろうか。その招福神像の右端にはコートが投げ込まれた部屋も見え、コートが開けて出ていったガラス戸がなにごともなかったように陽を受けて輝いている。

広場を眺めながらふと思った。この招福神は今朝通勤者のうねりと一緒になって現れた大蛇の成り代わりではないのか。もしそうだとすると、有山君がコートを抱えてきた意味がよく分かる気がした。理解できるのだ。つまり、コートは大蛇の化身となった招福神への供物として、生贄として有山君が抱え運んできたということなのだ。東口の改札口でどんなトラブルが起きたとしても、その人間を抱えて西口まで運んでこなければならない理由などどこにもない。もし、あるとすれば、それは有山君が個人的な動機で行なったとしか言いようがないではないか。私はバッグを下におろし、通路口の壁に身体をあずけた。胸の通りが少し良くなり、呼吸がしやすくなった。

考えてみれば、有山君が国労を脱退してこの駅に社員として働き始めたのは分割民営化後のことだ。分割民営化以前からの組合脱退者からみれば「遅れてきた者」「新参者」であり、いまだ正規のメンバーとして認められているとは思えない。この駅で員数外社員から正規の社員となって以来、私など国労の助勤者の仕事探しが有山君の仕事になっている。そこから抜けだせて初めて本当の社員、主任者試験などの受験資格をもつ社員になれるのだろう。有山君もその点に焦りがあったのかも知れない。そのためのパフォーマンスを必要とし、ほかの社員たちからも求められていたのではないのか。そんなことが考えられた。

あれほど時計の針を気にしていたのに、こんなに遅くなるまで有山君一人のことをいろいろと考え込んでしまったのはなぜなのか、分からなくなっていた。分かっていることは、JRの労働現場が目に見えない薄い膜で覆われてしまって、そこで働く社員たちの表情も感情も私からは全く見えなくなったということだ。私には冥界に入ったとさえ思えた。そんな中で有山君の予想外の行動はJRの正社員に向けたパフォーマンスではなかったのか。そうすることがこの会社で生きていく唯一の道ではなかったのか。そう考えるほかになくなってしまった。

バッグを肩にすると、私は広場を背にしてホームに向かった。

2章　三六〇円で来た男

「交番へいこう」

青梅駅は新宿駅から快速電車で一時間の距離にある。駅の裏側には古い寺もあり、参道に入る山門には大きな桜の木が三分ほど花を咲かせていて、辺り一帯にその存在感を示しているかのようであった。

この季節、終点の奥多摩駅まで渓流沿いの沿線は新緑に包まれる。梅林もありハイキングや登山姿の客も多く、車窓からの多摩川の流れに心を洗われるようでもあった。助勤先としては最も遠かったけれども、それに見あうものが得られそうな解放感があった。

三月も末に入って、この月の三回目の助勤だった。駅には一年ほど前から同じ新宿要員センターで一緒だった黒崎という男が勤務していた。まだ三〇歳前らしいが、事情があってこの駅への転勤希望を以前から出し続けていた。ＪＲはその都度、国労からの脱退が転勤の絶対条件だとしてはねつけていた。

要員センターの組合役員たちは、そのあからさまな対応に憤慨して抗議を繰り返したが、組織的にはなんの対抗策もとることができず、何回目かの役員会議の末に、脱退を容認し、転勤することを認めざるを得なかった。

国鉄時代から新宿駅の改札班分会長を引継いできた小島は役員会の終わった後に詰所に戻り、私と顔があうと、

「魂まで売り渡すわけではないけどなぁ」

そんなボヤキを呟いて、僅かに微笑みを浮かべて見せた。私もそのまま微笑みで返すしかなかった。

新宿駅の元改札班員であった黒崎は青梅駅の業務にもすでに習熟していた。例えば業務用郵便物の仕分けや発送の準備などと違って、改札業務の合間に行なう風呂場の清掃や周辺の片付けなどがはたして業務なのか私には分からない。黒崎はそれらを全て業務とした。また、一〇日に一度の助勤では仕事の手順を急に思いだすことができず、その都度黒崎に聞くしかなかったが、彼は嫌な顔も見せずに教えてくれる。無口で無愛想な男と思っていたが、私には丁寧に接してくれた。

午前は泊りの勤務者たちの風呂場の清掃と片付けをやり、業務用郵便物の整理と袋詰めを行なった。そして郵便物の一部を麻袋に詰め、奥多摩方面行きの下り電車に載せるためにホームに持っていった。

駅舎の裏口を出るとホームの先端に向けて小径がある。郵便物を入れた麻袋を持っていく途中、道沿いに野菜畑があった。小松菜やほうれん草、ネギなどが五、六坪ほどの空地に列を違えて植えられていた。草取りも行なわれているようであり、もしかしたらこれらの栽培や手入れなども、黒崎たちの業務なのかも知れなかった。

少し早めに昼休みに入った。私は持参したおにぎりと湯を注いだカップ麵で昼食を終えると裏口のドアを押した。郵便物をホームに持っていった時にも見えた駅裏の山際に建つ古刹の山門があり、その向こうに本院も見える。山門の前にある三分咲きの桜を近くで眺めてみたいとの思いがあった。数人の見物客らしき姿も見えて由緒ある桜のようでもあった。

昼を過ぎると乗客たちの姿は午前より少なくなったように見えたが、それでも東京駅からの直通電車が到着するたびに集札口の前は乗客たちで埋め尽くされた。私が改札業務でラッチに入るのは一四時からで、その前の三〇分間は通路の清掃だった。柄の長い箒と塵取りをもって改札口前からの通路と地下道、ホームを回ったのだが、学生や若い人たち、それに年配者の新緑を楽しむ行楽客たちでホームも通路も混みあっていて、目立つごみを塵取りに入れるだけで引上げざるを得なかった。

改札業務に入ってからも若い人たちと行楽客たちが相変らず多く、集団客のほとんどが切符をラッチの台に放るように置いてでていく。一人が精算を始めると四人、五人と続いてしまう。そんな時と両替を兼ねた精算などは窓口にいってもらうしかなかった。三〇分ほど過ぎた頃だろうか。快速電車が到着して乗客たちが改札口のラッチの前に拡がり、最後にグレーのズボンにブレザー姿の一団が改札口を出ていった。リラックスした会話を交わし、陽気な笑顔が多かった。リュックを背負う者が多く、ホームで待ち合せてからでてきたようである。ラッチの台に散らばっている切符は都区内からのものが多かった。

その一団を追うようにしてきたやせ型の若い男が差しだした切符は三六〇円で料金が六〇

円不足していた。男は一〇円硬貨をラッチの台に一枚ずつ並べながら私に話しかけてきた。国鉄からJRになってなにがどう変わったのか、そんな問いかけだったと思うが、具体的な記憶はない。私はJRになっても電車の運行も切符の販売も国鉄の時代となにも変わっていないことを伝えた。男は不足金を払い終えてもラッチから離れようとはせず私を見つめたままだった。そして「国鉄ではやっていけないからJRになったのではないか」といった意味のことを私に向かって叫んだ。

「それは向うの事務所にいって聞いてもえらますか」

私はそう答えて左手を上げて事務所入口のドアをさした。すると若い男はさらに声を大きくして再び叫んだのだ。

「オレはあんたに問うているんだ、あんたの答えが欲しいんだよ」

それを聞いた時、私はこの男がそれを私に言うためにこの駅で降りたことを直感的に感じ取った。

「同じですよ、同じJRで働いているんだから」

私は冷静さを装って答えた。すると男は間を置かずに大きな声で叫び返してきた。

「襟のバッヂをつけているのはあんただけじゃないか、外せよ」

乗客たちは、私と若い男が争うラッチを避けて、隣の誰もいない無人のラッチの鎖を外し広場へと流れ始めていた。私は「組合バッヂを外せ」と大きな声で迫ってくる若い男の様子に違和感を覚えた。自分より年上の駅員に信念を変えろと迫っているのだが、迫力はなく言葉だけが飛んでくる感じだ。

東京も端っこの駅で若い男の剣幕に押されてバッヂを外すようなら、とうの昔に国労を脱退して東海道線の電車の運転席に座り続けているはずだ。バッヂを外さなかったのは自分のためでも組合のためでもない。赤字の責任を押しつけられたあげく、口を塞がれた社畜*となって生きていくことなど真っ平なのだ。お前たちが口をだす問題じゃあないよ。

「お客さんからバッヂを外せなどと言われる理由はどこにもないですよ」

私は若い男の目を見つめて強く言い返した。男もその目を大きくして私を見つめ返していたが、

「生意気だ」

そう叫ぶや否や私の顔に唾を吐きかけた。私は顔に唾が飛んできたことにびっくりしたが、反射的に男の顔を目がけて唾を吐き返した。

他人の顔に唾を吐きかけたなら、直ぐ逃げるか攻撃を続けるかなのだが、若い男は驚いた表情で私を見つめ返し、怒りの表情を露わにして二度目の唾を吐きかけてきた。私も間を置かずにまたお返しをした。

男は後ずさりでラッチから離れ、顔を袖で拭いながらコンコースの向こうの「みどりの窓口」に顔を向けて大きな声をあげて叫び始めた。

「誰かあ」

窓口には社員の姿は見えず、男の叫びに気づいた者はいなかった。男はもう一度、大きな声で叫んだが、なんの反応もないことが分かると窓口に向けて大股で歩き出した。

「管理者はいるか」

男は事務所のドアを開け荒い声をあげていたが、やがて助役が出てきて男と歩きだし、駅の出入口のところで立ち止まると向きあって話し始めた。しばらくして助役一人だけが急ぎ足で私に向かって歩いてきた。

「謝る気はないのか」

助役は私の前にくるなりそう問いただした。謝れと言わんばかりの言い方だったが、続けて少し語気を緩めてつけ足すように言った。

「謝ればすむことだけど」

一瞬私は考えてしまった。なにに対して謝れと言うのか。「生意気だ」そう叫んで唾を吐きかけてきたのは若い男であり、全く理不尽なその行為に対して私は私なりの防御をしたに過ぎない。唾を吐き返した私の行為を謝罪しろ、そう言っているのだろうか。それとも組合バッヂをつけて仕事に従事したことが生意気な行為だったと反省し、謝罪しろと言っている

＊社畜：分割民営化で労働基本権を投げ出し当局に協力した組合・組合員を揶揄して呼んだ言葉。

のだろうか。

所属する組合のバッヂをつけて意思表示することがそんなに生意気で社会的に許されない行為なのだろうか。唾を吐きかけられるのは当然であり、黙ってそれに耐えて謝罪しろ、若い男と助役は私にそんな要求をしているようだった。

「謝るつもりはないですよ」

私は助役に向かってそう言った。驚いた顔で私を見つめた助役は無言のまま踵を返して、男のところに引き返していった。


子どもの頃、私が通っていた学校は山間の奥地にあり、生徒数四〇名足らずの小学校であった。私の家族は敗戦の年にこの山間の地に生活の場を移さざるを得なかった。そしてよそ者としての生活が始まったのだ。地元の同級生たちの多くは棚田ではあっても水田を耕し、昼には白い飯粒がいっぱいに詰った弁当箱を机の上で広げた。それが彼らの私たちに対する優越感の支えになっていたように思える。下校の途中、意味のない言葉を投げつけて攻撃してくる同級生がいた。子どもの行為は親の鏡でもあるのだろうか。子どもではあってもその山間の場所以外に私たち家族の住むところがないことは分かっていた。侮蔑や排除の言葉をそのまま投げ返して抵抗するしかない。口喧嘩に勝てないとみると、相手は私に唾を吐きかけた。私も返し、互いに唾をかけあって口の中が空になると路肩の土塊をつかんで相手の顔にこすりつけた。唾をかけた後、じっと相手の目を覗き込むのは、尊厳を傷つける行為であることを子どもでも互いに知っていた。

その時の映像が一瞬のうちに甦ってきて、子どもの頃の思いが目を大きく見開いた若い男の顔にダブってくる。しかしあの時と違い、私は若い男に向かって歩いていく助役の後姿を見つめながら、見知らぬ若い男との事態が新たな展開に入っていくのを見守るしかなかった。

男は国労のバッヂをつけているのが生意気だと叫び、唐突に唾をかけてきた。私がやり返すと大声で助けを求めて助役を引き出したのだ。先に唾をかけた加害者なのに、いかにも自分は被害者だと言わんばかりのその振舞いに私は違和感を覚えた。男になんの意地も根性も感じられず、単なる演技で行なったのではないか、そんな侮蔑と不信感を私は抱いた。

この若い男は、最初から自分の仕事としてこの駅にきたのではないのか、そうとも思えた。乗客が酒に酔って感情のコントロールを失った末の出来事というのは多くある。しかし、この若い男からは仕事上の愚痴や生活の疲れみたいなものは微塵も感じとれなかった。男は組合バッヂに対する嫌悪感が社会的に容認されているかのように、組合バッヂをつけて仕事することがさも反社会的行為であるかのように「悪」と決めつけて尊大な態度で私に外すことを強要してきたのだ。

歩いていく助役の背中の振れが止まった。私の「謝罪しない」の言葉を若い男に伝えているようだ。

「交番に行こう」

若い男の大きな声が乗客たちの頭越しに私の耳を打った。謝罪しないなら警察に取り締ってもらおう、そう言っているようだ。その言葉は助役や周辺の乗客に対しての正当性のアピールと同時に私に対しての恫喝でもある。助役が再びこちらに歩いてきてラッチの前に立つ。

「交番に行こうと言っているから」

興奮気味に言って同行を求める。

「あ、そうですか」

私は即座に応じた。警察にバッヂ着用を決める権限などあるはずもないし、交番にいくなどは馬鹿みたいな話だと思った。

ラッチを出ると広場の出口から右に折れる。一〇メートルほど先を若い男が歩いている。交番がどこにあるのか知っているような歩き方だ。私の直ぐ先を助役が歩く。広場の端で歩道は左に直角に曲がる。その曲がり角のところに水道の蛇口があり、若い男は蛇口に歩み寄ると腰を屈め両手で水を受けながら懸命に顔を洗いだした。角を曲って直ぐ右に石段があり、その上に赤く丸い電球のある建物が見える。見上げると「青梅駅前駐在所」の看板が赤い電球の下にあった。助役は駐在所の下までいき、石段を上り始めた。私も水道で顔を洗った。丹念に洗い終えてハンカチを使いながら後ろを見ると、若い男は広場の端に置かれた鉄柵に腰を当てて駅舎の方に顔を向けていた。

助役が駐在所の石段を下りてきた。男のところにいってなにごとか伝えると、今度は男から離れ私の前にきて言った。

「本署に連絡したら、係員がこちらに出向いてくるという話だよ」

助役は仏頂面で私にそう伝え、男と同じように鉄柵に寄りかかって駐在所を見上げている。本署から係員がくるからそれまで待てということなのだ。私も助役から一〇メートルほど離れて同じような姿勢で鉄柵に身体をあずけた。

私は助役の言った言葉を思い返してみた。係員がくるというのは、駐在員では判断できないから、もっと階級の上の警察官が話を聴いて判断する、そういうことなのだ。考えてみれば実に馬鹿馬鹿しい限りなのだが、現実としてそれは避けようもなく目の前にある。先ほどまで警察はこの件にはタッチしないだろうという思いが私には強かったのだが、改めてこれまでの経緯を振り返ると、どうも分からなくなってしまう。

男の背後にあるもの

中曽根内閣はその発足の八二年前後から保守系のマスコミを総動員する形で「ヤミカラ・

キャンペーン*」を五年間にわたって行なわせ、一九八六年七月の衆参同日選挙に圧勝した事実を追い風に分割民営化に反対し続ける国労などは反社会的な勢力であるかのような報道を展開させた。その結果として現在の私たちの状況があった。国鉄当局と国労との間の三六協定*などをめぐる争いで組合の主張を認めてきた労働委員会や裁判所も当局寄りに認識を変えてしまったのは肌で感じられた。警察はどうだろうか。警察はタッチしないという考えは全くの幻想でしかないかも知れない。

　警察はともかく、乗客とのトラブルを理由にＪＲがもし停職や休職の処分を出してきたら、国労は頼りになるだろうか。そんなことを考え始めると不安が広がる。私の職場である田町電車区*の組合組織も脱退者と全役員の強制配転で壊滅状態だし、上部機関である新橋支部*も役員の補充が追いつかず、機能不全の状態だ。小さなことまで手が回らず、とても弁護士をたてて争うことなどできそうにない。家族の生活がどう変わるのか。不安は際限もなく広がっていきそうだった。私は鉄柵から腰を離して身体の向きを反対側の広場へ変えた。

　閑散とした広場の上の黄昏始めた空に黄色い雲が浮かんでいた。その雲の下の針葉樹の山の連なりが黒々と見えた。もう夕暮時かと驚いて時計を見るとまだ三時前であった。そんな空の雲と黒い稜線の流れを見続けていると、これから先の生活はなるようにしかならないのだと覚悟するしかなかった。

　タクシー乗場の左の方に相変らず鉄柵に腰を押し当て背を丸めている若い男の姿がある。

顔を洗ってから私たちに背を向けたままの姿勢で少しも動こうとしない。私や助役を避けているかのようだ。交番に行こうと大声で叫びだしたのはこの男なのだ。それなのに駐在所前の私たちに背を向け、頻繁に顔を上げては駅からでてくる乗客たちを見続けている。その背中からは私にバッヂを外せと叫んで唾をかけ、交番にいこうと叫んだ気迫は微塵も感じられず、早く帰ろうとしているかのような様子だけが見えて、戸惑を覚えるのだ。この男はなにを考えているのだろう。そんな疑念を持ちながら私は男の姿を見つめ続けた。

駅舎からは下り電車が到着するたびに乗客が広場に流れだし、出口から左右に分かれていく。向こうへ去っていく客も多いが、こちら側にも流れてくる。若い男も出口の流れを見つめている。

＊ヤミカラ・キャンペーン：国鉄の職場で労使間の協定によって取り決められていた勤務時間内での入浴や代休制度を、職場の乱れと決めつけて新聞・テレビなどマスコミが行なった組合批判のキャンペーン。「ヤミ」は闇慣行、「カラ」は空協定の略。

＊三六協定：労使間で取り決めた現場の作業や休憩、休暇などについての協定で、労働基準法三六条を根拠としているため「サブロク協定」と呼ばれる。国鉄の場合は使用者側が一方的に協定内容を変更して事件、争議となることが多かった。

＊田町電車区：二一〜三頁、および一一〇頁参照。

＊新橋支部：国労など全国組織の組合は本部‐地方本部‐支部に組織され、支部の一つである新橋支部は港区や品川区などにある国鉄の駅や電車区の各職場の組合組織を束ねていた。

この若い男の奇妙な振舞いの裏にはなにかが隠されている。そんな思いが胸の中で疼いていたのだが、ようやくそれがこれまでの職場の動きの中につながってくるのが分かった。

国鉄を七社に分けて民営化する。それが半年先に迫ってきた八六年の秋、それまで絶対反対を統一集会などで叫んでいた動力車労働組合*（動労）が方針を転換、七社分割民営化に賛成すると言いだして、集会会場から離脱して帰ってしまったのだ。それればかりでなく、それまで一緒に反対し行動してきた国労の方針を誹謗中傷する攻撃を始め、組織破壊を開始したのだ。私の中では動労とその背後でうごめいていた男たちの一人が乗客となって青梅駅まできたのではないか。そんな思いが胸の中で渦巻き、国鉄時代の動労との多くの争い事が否応なく若い男の背中にかぶさってきたのだ。

若い男が改札口で乗車券をだして不足金の支払いを申しでてから私に唾をかけてくるまでの言動が、あまりに整いすぎている。不足金の受け渡しを終えると男は直ぐに私に問うてきたのだ。「ＪＲになってなにが変わったのですか。ＪＲになってからも組合バッヂをつけている社員はいないですよ、外しなさいよ」。そう叫んで唾をかけてきた。若い男の言葉はＪＲ管理者そのままだった。

ＪＲの管理者は手を後ろに回し、毎朝の点呼でかならず焼印でも押すかのようにバッヂを外せと迫ってくる。手を後ろに回しているのは「手は絶対にださないですよ」のポーズでもあった。若い男は手をだすかわりに「生意気だ」、そう叫んで唾を吐きかけてきた。私もその男が単なる乗客ではなく、それが目的でここにきたことを感じ取ったので直ちに応戦することができた。ラッチの中では退く場所もなく、そうする以外なかったことでもある。

男はいまはもうなんの関係もないかのように私や助役に背を向け、歩道の先にある駅の出入口付近をしきりと見つめている。もしかするともう一人仲間がいて入口あたりから合図を送っているのではないか。そんな様子にも思えて駅の周辺を見たのだが、それらしい姿を見つけることはできなかった。

どれほど待っただろう。漫然と眺めていた路地に出入りする人の数が多くなっていることに気づいた。この路地の奥は商店街かも知れない。もう夕方の買物の時間になってしまったのか。そんな思いに浸っていると、突然真っ黒な車が路地を塞ぐように現われ、買い物客を押しのけて止まった。広場の様子を伺っているようだ。狭い路地をどうしてこんな大きな車が通るのか。訝りながら見つめていると、車はゆっくりと動き出し、広場に入ってきて、私から五、六メートルのところに止まった。警察の車だと気づいたのはドアから黒ずくめの男たちが現われた時だった。真っ黒な車に真っ黒な制服の男たち。二人ともだぶだぶのズボンにダブルの上着で、両袖にはそれぞれ二本と一本の金モールが巻いてあった。帽子も金モー

＊動力車労働組合：一九五一年、国労から分裂して結成された機関区を中心とした運転職場の組合で、当初は「機関車労働組合」の名称だった。分割民営化前は約五万人であったが、JR後は合併や分裂を重ね、二〇二四年現在の推定で約二万～二万五〇〇〇人ほど。JR貨物、JR北海道に多い。

ルで飾られている。青梅署長と副署長の正装なのだろうか。大きな身体をした二人は鉄柵を廻って路地の入口から歩道に入り、駐在所への石段をゆっくり上っていく。

二人が駐在所に入ってしばらくするとワイシャツ姿の駐在員が姿を現わし、石段を下りると歩道の向こう側から助役に声を掛ける。助役は直ぐに歩きだし、石段を上って駐在員と一緒に駐在所の中に消えた。

当然私も事情を問われるものとばかり考えていたので、助役一人というのが意外に思えた。こちらに背中を見せ続けている男に目をやったが、男は相変らず駅の出入口付近に視線を泳がせていて駐在所の動きには気づいていないようだった。

私と若い男を呼ばないのはどういうことなのだろうか。私は石段の上の駐在所を見つめ直した。改めて呼ばれるのか、そんなことも考えながら再び駐在所に目を戻した時、その出入口から助役の姿が現われた。

思いのほか短時間で戻ってきた助役の姿を見て、私は終ったのだと直感した。石段を下りる助役の足の動きも軽そうに見えた。助役は歩道に降りると真っ直ぐ男のところに向かっていく。鉄柵から腰を浮かして立ち上がった男に身ぶり手ぶりをまじえて話し始める。

私はゆっくりと二人に近づいていった。男は顔をふせるように視線を足もとに落として話に耳を傾けていたが、やがて小さく頷き、リュックを拾い上げて肩に掛けると駅の入口に向かって急ぎ足で歩きだした。私を振り返ることもなく、まるで逃げ帰るようだった。

助役は向きをかえ私に近づいてくる。私の前までくると硬い表情のまま言った。

「警察は民事不介入ということで、この件には立入らないということです」

木で鼻をくくったようにそれだけを言うと背を向け、すたすたと駅舎の裏口へ通じる小径を曲がっていく。私は駆け出して男の後を追った。入口を入ったところで改札口を見ると男が改札員から切符を受け取ったところだった。男を追いかけようとする自分に「追いかけてどうするのだ」と問い返す。仲間がこの駅にきていればその存在を確認できるのではないかとも考えたが、新たなトラブルも覚悟しなければならず、結局ホームに向かう地下道へ駆け出していく男の後ろ姿を改札の外側から見送った。

私は改札口で足を止めたまま発車時刻の表示板を見上げた。上り東京駅行きの特別快速電車が間もなくでようとしていた。男はそれに乗ろうと急いだようでもあるし、同時にこの場から一刻も早く立去りたかったのかも知れない。あの若い男が国労組合員の私にダメージを与えることをただ一つの目的にこの青梅駅まできたことだけは確かなように思えた。


改札前から離れた私はロッカー室に戻った。時計は三時三〇分を少し回ったところだった。私の勤務時間はまだ一時間半残っていた。このロッカー室の炊事場で時間を潰すしかないだろう。そう思い、折りたたみ椅子をテーブルとは逆に向けて腰をおろした。疲れと同時に虚しさが胸に広がってきた。それを耐えようとするのだが、逆に頭の中では若い男とのやりとりが巻き戻され繰り返されていく。私は否応もなくそれを追いかけながら男の行動を確かめなければならなかった。

あの男は私にバッヂを外させるのが目的で三六〇円の切符で私に不足の六〇円をだし、ラッチで精算しながら会話のきっかけを作ったのだ。私に二度唾を返されると今度は大声をだして交番に行こうと私を恫喝したのだが、その後の様子から警察は関わってこないことを承知の上での行動であったように思える。それは、黒ずくめの署長たちが到着し「民事不介入」が助役を通して伝えられるまでの男の行動と態度が物語っている。駐在所やその下にいる私や助役に一度も視線を向けることなく無関心を装い、駅の出入口あたりに視線を終始泳がせ続けていたのだ。そして民事不介入が伝えられると逃げるように特快電車に飛び乗って帰っていった。

分からないのは、あの若い男は、私が今日この駅に勤務しているのを知っていてきたのか、それとも偶然国労バッヂをつけていた私を見つけ、外せと迫ってきたのかだ。国労バッヂをつけた社員を見つけて外せと迫るのは一般乗客の中にもいる。しかし、あの若い男は一般乗客に見られる日常生活の延長線での振舞いとは明らかに異質なものを私に感じさせたのだ。一般の乗客の場合は酔客も含めて個人の不満を述べたて、駅員などの言動に対してかなりの執着心をもって詰め寄ってくるものだが、あの男はそのような執着心とは全く別次元で労働基本権の放棄を迫ってきたのだった。

男の行動を動労の一連の動きの流れの中で理解すれば私にとって全て納得のいく話となってくる。国労組織を動揺させ不安に陥れて、組合を脱退させることが目的の行動であると分かっているのだ。国鉄時代の終わりに向かって起きたいくつもの出来事。それは分割・民営化が迫まるにつれ、多くの組合員が国労から脱退していった頃の出来事だった。分割・民営化に率先して協力した動労と、労働基本権だけは守ろうと反対した国労組合員との間に起きた出来事の一つ一つの場面が胸に浮かびあがり、その場面にこの若い男がかぶさってくるのだ。

動労の動きで私たち国労組合員の記憶に初めて刻まれたのは一九七九年の成田空港反対闘争だ。地元の農民たちを支援した千葉の動労の組合員たちが動労本部から袂を分って分裂したのである。しかし、そんなことがあっても私たち職場の国労組合員たちはどちらを支持するということでもなかった。

八二年一月、マスコミが国鉄の職場規律の乱れを批判するキャンペーンを始めたのだが、同じ年の三月に国労と動労、さらに共産党色の強い「全動力車労組」と創価学会員が多数を占める「施設労組」の二組合を加えた四組合が「国鉄再建問題四組合共闘会議」を設置した。当時の労働組合の全国組織だった総評*の主導だったように思う。しかし動労はこの同じ三月

＊総評：日本労働組合総評議会の略称。一九五〇年設立された日本最大の労働組合の全国組織（＝ナショナルセンター）であったが、分割民営化で国労が弱体化したのにともなって、一九八九年に解散した。

にストライキを自粛して当局に積極的に協力する「働こう運動」を展開するようになり、国労との関係がぎくしゃくし始める。八二年一一月、中曾根内閣が発足し、八三年には職場規律に名を借りて組合バッヂやリボンの着用禁止が具体的に示され、処分もだされ始める。国労を除く三組合は当局と融和的になっていき、国労との溝が深まっていく。

処分

八六年に入ると動きが慌ただしくなり、国労と他の三組合との溝はさらに深まって職場の中でも対立が露わになっていった。四月の終わり頃だった。私は東海道線の乗務を夜の七時過ぎに終え、乗務員室でこれから乗務する同僚たちとお茶を飲んでいた。電話が取りつがれ、いったん国労を脱退した検修*職場の三名が国労への復帰を希望しているという分会役員からの話だった。本当なら大歓迎だ。運転職場で対応したいから村山さんも参加してくれないかと言われる。私は役員でもなかったのだが、そんなことを言っている場合ではなさそうだ。激励もしなければならないので一緒に行ってくれ、そんな頼みだったので私も急きょ歓迎会に参加することになった。八時半過ぎに品川駅東口の飲み屋の二階に上がった。

翌朝私は欠勤者が出た場合に備えて七時から待機する予備勤務になっていたので、早く切り上げて帰るつもりだったが、気がついた時には一一時を回っていた。朝は目覚し時計で起きたが、酔いが頭の芯に残り目の赤味も消えておらず、出勤できる状態ではなかった。そんなに飲んだ憶えはないのだが、切り上げるのが遅すぎたことを悔いた。私は仮病を使って欠勤することに決めた。酔いの残ったまま出勤するのは自分から「罠」にはまりにいくようなものだからである。

六時半頃電車区の運転当直に電話を入れた。応対に出たのが後輩の一人で、気心の知れた男であったことが気持ちを楽にした。

「腹痛があって、下痢もしているので欠勤したい」

あらかじめ考えていた言葉を伝える。

「あ、大丈夫ですよ、七時からの待機の勤務者はあと三名いますから」

丁寧な言葉が返ってきた。まだ心は繋がっているようだった。グループでのハイキングに毎年参加してきた男で、山小屋で家族のことなどを話しあった憶えもあった。

後輩の運転助役が受話器の向こうから「では、今日は休んでくださいよ」と言い、その言葉がまだ受話器に残っていた時だった。

「その電話待てよ、ダメだよ」

突然、しわがれた声が後輩の声に覆いかぶさるように聞こえてきた。

＊検修：電車の検査や修繕を担当する職種で、主要な駅には検修員が常駐して電車の故障に対応していた。

「村山さん、ちょっと待ってよ、区長*にかわるよ」

後輩は慌てた様子でそう言い終えると受話器が区長に手渡されたようだった。

区長は私にどうしても出勤しろと迫ってきた。私は出勤できる体調でないから欠勤の電話をしたのだ。七時からの待機勤務者は私の他に三人もいるではないか。そう言葉を返したのだが、区長は出勤しろの一点張りで譲らない。どうしても出勤させたいのは酒気帯び出勤を証拠に処分したいからだろう。

私と後輩との電話に区長が突然割り込んでくるとは思ってもいなかった。私も動揺したが、このまま押し通すほかないと心を固めて応対した。

「現場長の命令だ、出勤しろ」

区長はまるで軍隊の隊長気取りか、町の暴力団の組長のような威喝をしてきた。私もここが踏ん張りどころと思い一呼吸おいてから言葉を返した。

「区長さん、それは理由になってないですよ」

柔らかい声でそう言う。すると、区長は怒気をふくんだ声で返してきた。

「三日以内に診断書持ってこいよ」

「三日以内ですか」

「そうだ、三日以内だ」

「分かりました」

そう答えて私は電話を切った。

なぜ区長は電話口の近くで、私の電話を待ち受けていたのだろう。私たち国労組合員の昨夜の行動を知っていたかのようだ。運転助役から受話器を奪い取り、「欠勤承認」を取り消して、出勤を強要してきたのだ。私は区長の出勤強要をなんとかかわした。診断書などは後で考えればよいことだった。同時にこの区長の対応は、新たな事態の展開が始まっていることを私に気づかせてくれた。

昨夜の私たちの行動が対立する組合員たちに監視されていて、それが区長に報告されていたのではないのか。そう考えるしかなかった。以前、国労の仲間の一人が「オレたちが飲みにいったのをなんで助役が知っているのだろう」、そう呟いていたのを憶えていたからだ。

区長は国労の排除に躍起になっていて、労使共同宣言を結んだばかりの動労の組合員に電車区内や飲み屋街での私たちの行動を監視させ、探らせているのではないか。

区長は分割民営化に反対する私たち国労組合員を職場から排除するため、動労だけでなく、国労の分会長とも裏で手を握って、私たちを排除するために狂奔しだしていることも考えられることだった。本当に労働組合などというものは、信頼関係がなければ存在しない方がましなのだ。

＊区長：電車区のトップが区長。田町電車区には支所も含めて約一二〇〇人の職員がいた。

それにしても動労は数カ月前までは一緒に共闘してきた「仲間」だったのだ。労働者同士の信義はまだ残っているのではないかとの期待もあったのだが、幻想であった。彼らに飲み屋まで尾行されて帰る時間までチェックされ、区長に報告されていたかと考えるといささか心にこたえるものがあった。

区長との電話を終えた直後から、診断書をどこの医師に頼もうか考えたが、全く当てのないまま一日を終えた。日頃の風邪や腹痛などは品川車掌区庁舎の二階に構えた診療所で済ませていたのだが、そこで仮病を使って診断書をもらうには区長に報告される恐れもあって、勇気が必要だった。

この時期、国鉄診療所の医師たちも安易に診断書を書かない、そんな話も聞いていた。風邪などでは容易に書いてもらえないらしかった。これは新宿にある国鉄病院も同じである。そう考えると、あとは国鉄外の診療所や病院を当たるほかなかったのだが、関係する知人や友人がいるわけではない。二日目の午後になっても思い当たるところは見つからず、思案したあげく、同居人が小さな医院で受付係をやっていて、その医院の小柄な老人も医師であることにようやく気づいたのだった。私の同居人は、三年ほど前からその医院に勤めていて、洗足駅近くにその和洋折衷の古風な医院はあった。そこには八〇歳を過ぎたと思われる小柄な老医師が、眼光鋭くかくしゃくとして存在感を示していて、界隈の名物医師でもあったらしい。

この老医師に仮病の言い分けのための診断書を依頼することはとてもできることではなかった。しかし、老医師より他にはなく、勤務中の同居人に電話をしたのだった。三日目の午後の三時を過ぎていた。三〇分ほどして電話があり「診断書は書いてあげるって。帰りに持って帰るから」。その言葉が受話器から聞こえた時には全身が緩む思いだった。今日の夕方には手にすることができるのだ。私にとってまさに天の助けであった。

次の日、私は「四日間の休養を要す」と付記された診断書を持って電車区に行き、運転当直に手渡して帰ってきた。五日目から乗務に戻ったのだが、区長からはなんの反応もなかった。正式な診断書を持っていったのだから、もうなにも言うことはないはずだ。そんな思いで二週間ほど過ぎた頃だった。乗務を終え、次の勤務を確認する終了点呼のあと、運転助役から区長が呼んでいると告げられたのだ。私はそのまま区長室に向った。「今度はなんだろう」そんな一抹の不安を抱きながら区長室のドアを開けた。

私の姿を見て応接セットのソファーから立ち上った区長はテーブルの前にきて言った。

「診断書は見たよ」

そう言った後にも言葉を並べたのだが、そのほとんどは記憶に残っていない。残っているのは最後の一言だけだ。

「それでも処分はだすからな」

私を見つめ、陰険な表情で区長は言った。

二週間も過ぎた今頃になって突然呼びつけ、「それでも処分はだすからな」は理解できない。反発心も起きて思わず問い返した。

「用件はそれだけですか」

私の言葉にちょっと間を置き、区長は眼を落として同じ言葉を繰り返した。

「それだけだ、処分は出るからな」

中身のない診断書だったぞ、そんなことを私に伝えるために呼びつけたのだろうか。まさか老医師を訪ねて問いただしたわけでもあるまい。

区長室を出て点呼場からカバンと帽子を手に持つと、二階のロッカー室への階段を上ったのだが、途中いろいろなことを考えさせられた。単なる恫喝だろうが、なにを伝えたかったのかが分からず、区長は私に「後で決着をつけてやるからな」、そう言うために呼びつけたのか、そう思うと嗤いも出た。同時に、この春頃にも区長室に呼ばれ、似たような恫喝を受けたことが甦ってきて、改めて現場当局の私たちに対する対応を考えざるを得なかった。


八六年の二月の終り頃だったと思う。その日私は沼津からの上り電車を引き継いで東京に向かっていた。熱海駅のホームに入った時にホームの先端に大勢のヘルメット姿の男たちの姿があるのに気づいた。電車の停止位置は男たちのところにあり、電車を止めると男たちの一人がドアを叩き、私が開けると大きな声で言った。

「線路の点検です、添乗をお願いします」

「ずいぶん大勢ですね、全員乗るのですか」

私の問いにちょっと後ろを振り向いたが直ぐに向き直って言う。

「そうです、全員お願いします」
一二、三人はいたので、あまりに大勢だと思いながらも、男たちのただならぬ気配になにかあったのか尋ねた。
「地震があったのですよ、運転士さんは気づかなかったのですか」

隣に立つ男がそう言う。

「なん時頃?」

「一〇分ぐらい前ですよ」

なぜ分からなかったのか、そんな怪訝な表情をしている。

「分からなかったですね」

私はそう答えるしかなかった。

一〇分前といえば、丁度丹那トンネルの中を走行していたはずだ。

丹那トンネルは湧き水が多く路盤が軟弱でいつも補強の工事が行われていて揺れも大きかった。運転中の地震は架線や信号機などの揺れで判断できるが、丹那トンネル内の架線は揺れないようにY字型に取り付けられていて、軟弱路盤の揺れか地震の揺れか判別などはできない。

　震度四ぐらいとのことなので、それほど大きな地震ではない。しかし、熱海から小田原まではトンネルや切通しが連続していて、根府川駅には高い橋梁もある。どんな状態なのか電車の前から確しかめたいというのはもっともな話だった。ただ、全員は入り切れず、運転室から通路にはみでてドアを閉じることができない。四、五人の身体が運転室からはみだしたまま電車を発車させざるを得なかった。

　狭い運転室に一〇人を越える人が入って線路状況を点検するのは最初から無理な話なのだ。運転席に座る私の両側にも一人ずつ立っていたのだが、私の椅子は床面より三〇センチほど高い台の上に据え付けられているので、右側に立った男の肩の下、二の腕あたりがブレーキハンドルを握る私の右肘に接触してくる。電車が揺れたり、私がブレーキ操作でハンドルを引くと肘が当ってしまった。その男も私と同じフロントガラスの先を見るから、どうしても顔が寄ってくるのだ。

　私は通路へのドアを開けて四人ほどはみだした状態で電車を走らせた。運転室の中は身動きもとれず、私の右側の腕が触れる男の顔が時々私の右肩に乗っかってくる。ブレーキハンドルを操作するたびに肘が当らぬように操作するのだが、肘の直ぐ上に見える男の無精髭を生やした顔が気持悪かった。その男の右後ろに立つ五、六人の男たちはブレーキを使うたびにたたらを踏んで揺れ動き、立っているのが精一杯で目視点検どころではない状態だった。

湯河原駅に停車した時、私は二重の赤線をヘルメットにつけた管理者に言った。その男が運転室に入り込んできた男たちの責任者なのだろう。

「運転室で全員が目視点検するのは無理ですよ。半数の人たちに客室の通路に移ってもらって後ろのドアの窓から線路際の崖や石垣を見る目視点検ではどうですか」

私はそう提案した。

「それでは点検にならないから」

赤線の責任者は運転室の内側にこだわった。

「後ろの人たちは立っているのが精一杯でとても点検などできやしない状態ですよ。揺れるたびに私の体にも当たってくるしね」

私は再度、後ろに半数移ってもらうことを強く促した。

赤線の男はじっと私を見つめていたが、客室のドアに近い四人の保線区員にドアの外に出るよう指示した。出された保線区員たちは不満を露わにしていたが仕方のないことだ。私の右に立つ男の身体も一人分離れ空間ができてほっとする。ヘルメットの保線区員たちは電車が小田原駅に到着すると私にはひと言の言葉もなく運転室からホームへと降りていった。

乗務を終えて電車区に戻り、いつものように終了点呼を終えて帰ろうとした時、運転助役から区長に呼ばれていることを言われた。私は仕方なしに区長室に向った。保線区員たちの添乗の件なのは間違いないのだが、なにが問題なのか、そう自問してみた。区長室に入ると案の定、区長は保線区員たちをなぜ室外に出したのかを問うてきた。

「一二人はとても入り切れないですよ、無理ですよ」

私はそう答えた。

「地震による緊急点検と言っている。その点を考えたのか」

一瞬納得した表情にもなった区長はそう問い返してきた。

「緊急点検と言いますけど、一二人全員はとても入れないですよ」

この区長も運転室の広さがどれぐらいかを知っていながら、無理な人数での運転室からの点検を容認しようというのだ。緊急点検を語りながら、国労組合員である私へのペナルティを第一に考えているのは明白だった。

保線区の責任者にしても全員が運転室に入り切れるとは考えなかったはずなのだが、全員が運転室から目視点検を行なったという事実がなによりも大事なのだろう。それはこの区長の思いとも共通していて、彼らの中で運転室はこれから新しく移行するＪＲそのものに疑似転換されてしまっていた。全員が全力で仕事を成し遂げ、上部機関の「長」たちに忠誠を尽くして認めてもらえば、ＪＲで良いポジションを得ることができて、移行することも容易になるのだ。そのためにはなにがなんでも全員で運転室に入り、目視点検しなければならなかったのではないのか。それがこの人たちの本当の目的だったのだろう。そして、常時自分の正しさを周囲と確認しあっていく。それを人数が多すぎるなどと妨害する国労バッヂをつけた運転士は、区長や保線区の管理者たちにとっては共通の敵であり、許せる存在ではないのだ。ただただ処分し、排除して自分たちの正当さをアピールするしかないのだろう。

「この件は処分の対象にもなるぞ」

区長は私を見つめてそう言い、視線を外した。

しかし、いつものこととは言え、処分という言葉を聞くと胸の奥に嘔吐感を覚え、咄嗟に相手に投げ返したくなる。「早く国労を脱退しろ」、そう言っているのは分かっているのだが、あまりに理不尽で露骨でばかばかしく、現場長としてのプライドも感じられない。

入りきれない一二人もの保線区員が無理に入ってきて、後ろの四、五人は揺れるたびにたたらを踏み、横に立つ男はブレーキハンドルを持つ私の右肘を身体で押してくる。とっさのブレーキが使えず、事故につながったら誰がその責任を持つのだ。区長、お前が責任を取るとでも言うのか。それとも、あの憑かれたような表情をした赤線のヘルメットを被った保線区の男が持つとでも言うのか。二人ともオレたち運転士に全部押しつけて逃げるだけだろう。

私はその言葉を返す気持ちにもなれず、区長室を出た。

組合間の確執

動労と国労の争いが激しさを増したのは八二年の中曽根内閣発足から一、二年過ぎた頃だったろうか。

田町電車区には乗務員の仮眠室が三〇室あまりあって、庁舎の三階は全て仮眠室にあてられていた。通路にはスリッパの音消しのために赤いカーペットも敷かれている。その三階にいくためには二階のロッカー室の出入口に設置されている仮眠室の部屋番号を記した靴箱でスリッパに履き替えて階段を上っていくことになっていた。

午後一〇時を過ぎれば、東京行き直通電車を運転してきた沼津機関区や静岡運転所の運転士たちが、翌日早朝の下り電車の乗務に備え、三階に上っていき、ここの電車区の運転士たちも早朝の出勤に備え、一一時頃までには三階に上った。

仮眠室の広さは四畳半にも満たない。木製の上下二段ベッドが作り付けになっていて三方をカーテンで囲ってある。横に一メートルほどの通路があり、壁にはハンガー掛けが並んでいる。作りは二人用なのだが、多くの場合一人の個室として使用され、二人になるのは見習いが同行した時ぐらいだった。

運転士の出勤時間が早朝の三時や四時になることは珍しいことではない。翌日早朝の出勤に備えてS氏が前日の午後九時頃電車区にきて、スリッパに履き替え三階に上っていったのは一〇時前後ではなかったかと思われる。当時、国労には五〇歳を過ぎた運転士は一〇人くらいいたが、S氏は五五歳を過ぎても本線乗務を続けていて、電車区ではS氏一人だけであった。五〇歳に近づくと多くの運転士たちが車両交換のための構内専門の運転士や、検査・修繕の職場に異動を希望するようになる。週に二度深夜運転が回ってきて、そのたびに仮眠時間が変わり、仮眠の場所も東京から静岡までの間を点々と移る。そんな中で日常の生活感覚を平常に保つのがどれほど難しいかは体験した者でなければ分からない。個人差はあるにしても、異動希望は五〇を過ぎた年頃が多いのである。それでも本線乗務を続ければ一カ月に三万円前後の乗務手当がついた。不規則な生活の代償とはならないのだが、他人に煩わされることが少ないのがこの仕事の魅力でもあった。それだけに五五歳を過ぎても本線乗務を続けているS氏は、若手運転士たちの信頼と尊敬を得ていて、分割民営化についても「このまま民間会社になれば大変な事態になる」と若手運転士たちに声を掛けていた。本来は気さくで話好きな人だった。

そのS氏に近寄り難い雰囲気が生まれてきたのは、国労と動労の対立が鮮明になってからである。背景には国鉄当局と動労の急接近があった。八六年一月の「労使共同宣言」の前から社外出向や休職などの動きが始まっていたが、田町電車区にも動労が分割民営化に積極的な運転士たちを次々に送り込んできたのだ。職場での会話が少なくなり、乗務点呼を終えてホームへでていくまでの待機時間を過ごす乗務員詰所もリラックスして過ごせる場所ではなくなっていった。国労所属の若い組合員たちが一人二人と国鉄を退職し始めたのもこの頃からである。当局はその穴埋めにさらに協力的な動労の運転士を入れるので職場の雰囲気はますます重苦しいものになった。

室内灯を点けて入ってきた「起こし番」の若い職員に出勤時間を告げられて起き出し、S氏が仮眠室を出たのは四時三〇分頃だったと思われる。二階に下り、靴箱から靴を取り出して履こうとした時、靴がぐっしょり濡れているのに気づいた。靴を見ると水浸しになっていて、底にはまだ水が残っていた。靴の左右とも同じ状態だったという。S氏はやむを得ずロッカー室の靴箱にある通勤用の靴に履き替えて出勤点呼を受けざるを得なかった。仮眠をとっている間に靴に水を入れるなどという「事件」はそれまでには考えられないことだった。直ぐに噂になったが、それはあくまでも国労組合員の間だけで、動労の組合員たちはそっぽを向いていた。明らかな業務妨害であるにもかかわらず現場当局も素知らぬふりだった。

それでも、ほどなくして犯人が国労組合員の間で特定された。動労の若い運転士だった。勘の鋭い二〇代の男で、運転助士を経験せずに直接運転士になった初めてのケースだったことから話題にもなり、私たち国労乗務員との交流もあった。その男は間もなく職場から姿を消した。社外出向に出されたらしいと噂が流れたのは二、三カ月が過ぎた頃だった。

この事件のあと、国労組合員の通勤用の靴がゴミ箱に捨てられていたことが二件ほどあった。いずれも犯人は分からずじまいだったが、こうした陰湿な嫌がらせが続いて、これまで交わされていた乗務員室での雑談もめっぽう少なくなってしまった。電車区内ですれ違っても国労組合員同士でなければそっぽを向いてしまう。「あの人たちはなにをやりだすか分からない」、そんな不信感と薄気味悪さを国労組合員たちが感じるようになっていた。

私には動労の人たちがなにを考えているのか分からなくなり、険悪な職場に変ってしまった。ＪＲに正社員として入りたい気持ちは分かる。できれば良い地位を得たい、そう思うのも人情だろう。このあたりまでは理解できるが、そのためには手段を選ばないというのはどういうことなのだ。国鉄当局の意向を全て受け入れ、組合丸ごと身売りしてしまったようだ。その上、国労の組織を破壊することが国鉄と政府が最も喜ぶことでもあるとして、それが動労の目的であるかのようで、労働組合とはとても思えない存在となっていた。

当局は分割民営化と同時に合理化も進めていた。電車の清掃や風呂場や仮眠室などの清掃が外注化されて、その仕事を担う人たちが電車区構内に出入りし始めた。ほとんどの人たちは中年過ぎの男性たちや女性たちだった。新規採用が中止になって国鉄には若手職員がいなくなり、これまでのように仕事が回らなくなってきて、本格的な外注化が始まっていた。

動労は電車区内の清掃業務が外部の清掃会社に委託されたことに突然反対して、ビラを電車区内や品川駅の西口で配布し始めた。私が手に入れたビラには「外注化反対」の見出しの「外注」が「害虫」に置き換えられていたが、そのビラは清掃業務で出勤してくる人たちに向けて構内の通路で朝配られていたのだった。ビラを手にした彼らは読む様子もなく手にしたままプレハブの詰所に向かって歩いていった。

なぜこのようなビラをこの人たちに配らなければならないのか。動労は自分たちの存在をアピールしているつもりなのだろうか。誰に向けてか。当局か、それとも国労に向けてか。この組合の指導層のやっていることが理解できず、薄気味悪く思えてくる。国鉄の分割民営化に真っ先に賛成し、当局の出向募集に応じて自分たちも率先して国鉄外の民間会社で働いているにもかかわらず、この身勝手さをどう考えたらいいのか。

さらなる確執

その日、私の仕事は東京―横須賀間の二往復乗務だった。朝一〇時に出勤して乗務が終るのは夕方の六時半である。一往復すると東京駅で四五分ほどの休憩時間があった。

横須賀線は大船駅までは東海道と並走の部分もあって視界も広いが、大船駅から先はトンネルやカーブ、それに無人踏切が多く、東海道線と比べて見通しのきかない線路が続いて、私にとっては疲れる線区だった。

初回の横須賀駅を折り返して津田沼行きとなり、東京駅で津田沼電車区の運転士に引継ぎ、東京駅地下三階で四五分間の休憩時間に入った。その休憩が終れば二回目の横須賀行きを引継ぐのだが、それまでに身体を横にして休む場所が欲しかった。

休憩所は品川寄りのホームの端、階段の下を区切って作られた小さな詰所にあったが、折りたたみ椅子が三脚と小さな流し台に電気ポットが置いてあるだけで身体を伸ばせるスペースはない。それで私はホームから上の地下二階に上る階段を上っていった。

地下二階のコンコースの南側寄りに黒いラバーが張られた長椅子が幾つも置かれている大きな部屋があった。長テーブルもセットで一五、六脚並べられ、奥の壁際にはホワイトボードも置かれていた。検修員たちの講習室として作られた部屋だったが、使用されることが少ないことから国労と現場当局とが話し合い、乗務員の乗り継ぎ休憩所としても使えることになっていた。

地下二階のコンコースは行き交う乗客もまばらで、下の階の電車の騒音も乗降客の騒めきも遠くに聞こえるだけで静かだった。休憩所を兼ねた講習室は石膏板で組立てられたプレハブらしく、出入口以外に窓らしいものはなかった。

室内に人の気配を感じたのは、ドアの上のガラス板が室内の電灯の光を映していたからであった。耳を澄ますと人の声がドアの内側から洩れてくる。検修員たちが講習を受けているのか。私はそう思い、帰ろうとしたのだが、様子が変だったのでドアを開けてみたのだ。

青い作業用のナッパ服の若者たちで部屋はあふれかえっていた。手前に並べられた長椅子のほとんどは青いナッパ服の男たちで埋められ、後方に寄せられたテーブルの上にも男たちが大勢で胡坐をかき、さらに畳んで積み上げられたテーブルにも腰を下ろした若者たちの姿があった。赤い組合旗がアルミの旗竿に巻かれて部屋の四隅やテーブルの横に幾一〇本と立てられ、部屋の両側の床の上にも幾本も積み重ねられていた。

入口のドアを開けたまま私はナッパ服の男たちを見続けていた。男たちも一斉に私に眼を張りつけている。目の前の長椅子に腰を下ろした年配の男たちが下からじっと探るように私を見つめていた。部屋の中にこもっていた煙草の煙がドアに向けて動き出し、匂いと一緒に私を目がけて押し寄せてくる。私は顔を横に背けた。

部屋の中でなにが起きているのか理解するのに時間はかからなかった。ヘルメットを被っている若者たちもいたが、多くはナッパ服と同じ紺色の布帽姿で、外された赤い色のヘルメットがテーブルのあちこちに積み上げられていた。このヘルメットとアルミ棒の旗竿の数の多さを見ると、どこになにを目的に向かおうとしているのか容易に想像された。

千葉の三里塚での空港建設反対闘争をめぐる動労の内部対立については既にふれた。それはテレビのニュースでも伝えられていたが、丁度その頃、動労の千葉地方本部が、東京の動労本部と決別して新たな組合を立ち上げようとしていた。ここにいる男たちはそれを力で抑えるために千葉に乗り込んでいこうとしているのだろう。そのための待機であり、時間の調整に違いなかった。動労本部は成田の三里塚闘争から撤退し、当局にすり寄った「貨物安定宣言」を出して、千葉の動労地方本部がそれに強く反発してもいたのだ。

私は左の肩と腕でドアを抑えたまま男たちに向き合っていた。後ろに寄せられたテーブルの上で胡坐を組んでいる若い男たちの顔に薄笑いが浮かび始める。私が国労組合員で一人きりだと分かったからだろう。ここでこの男たちと言い争いをしても時間の無駄だ。「ドアを閉めてホーム端の小部屋に行こう」そう考えたが、後に情けない思い出として抱え込んでしまうのが嫌だったし、これまでのことから言うべきことは言わなければとの思いもあった。男たちの薄笑いにも腹が立ってくる。

「あんたたち、でていってよ」

なんの用件かと私のところに近づいてきた責任者らしい中年の男に向かって私は声を大きくして言った。

「ここはあんたたちの使う部屋ではないだろう。オレたちの休憩所なのだ。こんな状態では休憩できないだろう、直ぐにでていってよ」

ヘルメットの下の表情が険しくなり刺すような視線を注いでくる。入り口近くの長椅子に腰を下ろしていた男たちが雑談を止めて私を注視し始める。

「どうぞ！」

突然一番前の列の右端に腰を下ろしていた男が、椅子から立ち上ると自分が腰を下ろしていた椅子のスペースに右手を添え、私を見つめて促す。

「そんなことではないだろう、あんたたち全員ここからでていけよ、初めから言っているだろう、ここはあなたたちのいる場所ではないんだよ、早くでていきなよ」

制服姿で乗務鞄を下げ、国労バッヂをつけた私を一人と見て適当にあしらえば帰っていくと見下しているような男の仕草に無性に腹が立ってくる。

目の前の長椅子に腰を下ろして私を見つめていた男たちの表情が強張ってきた。

労使協定を結び、当局を味方につけているオレたちに向かってなにを言っているのか、そんな態度だ。机の上に胡坐をかいている若い男たちも薄笑いを浮かべ始め、私を見つめる。

立てた組合旗の横に胡坐をかいている男はその一本を掴んでゆすってみせる。

この男たちに出ていく考えなど全くないことは分りきっているのだが、それだけに許せなかった。勝手に施設を占拠して、乗務員に休憩所として使用させないのは業務妨害になるのだが、国鉄当局も黙認せざるを得ないのだろう。「規律の乱れ」とは誰のことだ。当局が許していることではないのか。そんな動労の思い上りが現実として私たちに被さってきていた。

私は時計を見た。乗務時間までにまだ二〇分あった。スチール製のドアを開けたまま二〇分以上ここにいたことになる。このまま睨みあっていたら到着した横須賀行の運転士が私を探すことになり、出場遅延となってまた電車区長に呼びつけられてしまう。それは避けなければならなかったし、身体を少し休めたかった。

男たちは私を睨みつけている。なんの根拠もなく乗務員の休憩所を占拠しているのだから私を睨むことしかできないのだ。私も睨み返して言った。

「あんたち、でていけよ」

私は男たちに向かって最後の言葉を浴せた。そしてドアを離れざるを得なかった。

品川寄りのホーム端まで歩いて階段下の小さな休憩室に入り、パイプ椅子に腰を下ろした。

約五分間の休憩時間であった。

あの時、ヘルメット姿の若者たちや多くの旗竿を見て黙ってドアを閉じ、この部屋で休んでいたら忸怩たる思いに悩まされ続けたかも知れない。休み時間をなくしてしまったが、日頃の彼らへの憤りをぶつけることができて解放感も得られたことはメンタルの面で非常に大きかった。


横須賀行きの電車を引継ぎ、運転席に座り続けながら幾度もヘルメットとナッパ服の男たちの詰まった部屋の入口に引戻される。あのヘルメットの男たちがこのまま黙って引き下ることはないだろう。なんらかの形で仕返ししてくるに違いない。そんな思いが運転中、心の隅に居座り続けていた。いつ頃どんな形でやってくるか。いろいろ想像してみるが全く分からないまま、折り返した電車が品川駅に到着し、交代して電車を下りた。その時はその時である。いつまでも引きずっているわけにもいかなかった。運転当直助役と次の乗務の出勤時間を確認し、私は二階にある更衣室に引き上げた。

私は更衣室の自分のロッカーの前に立ち、鍵を差し込んで開けた。中を見てなにが起きたのか直ぐには理解できなかった。ハンガーに吊るしてあった通勤着が全て下に落ち、棚にあった洗面用具の石鹸やタオル、ノートや予備の乗務手帳、裁縫箱の中身がその上に散らばっていた。それらを入れていた菓子箱のブリキの蓋が大きく凹み、扉の裏についていた鏡が粉々に割れてジャケットの上に落ちている。私は扉を手で押えたまま立ち尽していた。なぜ衣服が落ち鏡の破片がその上に散っているのか。しばらくしてこれが東京駅での仕返しであることにようやく気づいた。

ロッカーに狼藉したのは一人ではない。五、六人の一緒の行動なのだ。ロッカーの中を荒らしたのは一人か二人で、ほかの者は邪魔が入らないように見張っていたのだろう。同じ電車区で同じロッカー室を使っている運転士たちが行なったとしか思えない。そう悟った時、凍てついていく胸の中に見えてきたのは労働者同士という仲間意識の崩壊だった。

揺れていたにしても、これまで保たれてきた同じ国鉄の労働者としての連帯感が砕け散って、通勤着の上に散らばった鏡の破片に重なってくる。黒々とした得体の知れない者たちがロッカー室に乱入してきたことに恐怖感を覚えた。オレたちの邪魔をする奴らはオレたちが相手だぞ、そうその男たちは恫喝してきたのだ。

ロッカーの鍵はこじ開けられた形跡はないので合鍵を使ったように思える。誰が持っていたのか。庶務係の用品担当者はロッカーの全ての鍵を保管しているはずで、そこから持ってきたのか。まさかと思うが疑いも残る。

東京駅地下の休憩室で対峙していた時、長椅子に腰を下ろしている前列の二つの椅子には、ナッパ服ではなく私服の一団が占めていた。その私服姿の中の一人にこの電車区の動労の支部長をやっていた山北線から通っていた石川がいて、「お、こいつもいるのか」という思いで見つめた。組合が違うので日常的なつき合いはしていなかったが、二人乗務の時には一緒に乗務したことが二、三度あった。このロッカー室を使うのはこの電車区の運転士だけなので、この男がロッカーへの狼藉の手引きをしたのかと思うと、「そこまでやるのか」、そんな思いがして、目の前が闇に閉される。二、三年前まで一緒に乗務していた仲間でもあった。

ロッカーの下に落ちた通勤服を手に取った。上着もズボンも破られてはいない。乗車証なども そのままポケットに収まっている。筆記用具や裁縫道具を入れていたブリキの菓子箱は蓋が凹んでいたが、裏側から指で強く押すと元の形に戻り、まだ使えそうだった。鏡の破片を集めて通路の隅に置き、替りの鏡は空ロッカーから持ってきた。

この件を相談できる仲間はいまこの電車区にはいなかったので、その日は帰ることにしたのだが、胸に重くのしかかってくるものがあった。

その一番は「お前たちは丸裸なのだぞ」という男たちからのメッセージである。もし同じようなことがあったら、またロッカーを荒らされかねず、それをどう防ぐことができるのかが緊急の課題となる。

こんなことは一般的には職場の上司に相談するのだろうが、国鉄の現場当局は一緒に国労潰しに躍起になっている。もう一つの相談相手として国労の分会組織もあるのだが、この田町電車区の国労分会のトップである分会長と書記長、それに分会独自に雇い入れた書記の三名は分割民営化の方針に賛成の立場だった。

国労の、そしてこの電車区の組合専従者でありながら、分割民営化に同調し、動労の支援にまわっている分会長について、多くの組合員は違和感を持っていた。しかし、国労組合員の中にも、中曽根内閣の目玉政策である分割民営化にはいくら反対しても勝てない、早目に手打ちをして傷を小さくするしかないと考える者たちがいた。そんな考えが職場全体に大きくのしかかっていて、分会長もそうした雰囲気を背に居直っている気配があった。さらにこの分会長には電車区の歴史にからんで次のような経歴があった。

この田町電車区は東京駅から横須賀駅まで電車を走らせるために戦前に作られた。出だしは東京機関区の出張所だったが、東海道線の利用者の増加に対応するために新たに田町電車区として発足したのが戦後の一九五〇年頃だ。その際、新しい電車区として電車を検査する者、それを修繕する者、そして運転する者全ての職種を募集しなければならなかった。そのために、北は大宮以北の沿線、南は小田原や国府津からの山北線、常盤線では柏駅近辺の国鉄従事者を中心に集めたのだが、遠距離通勤となるため募集条件として午後三時三〇分以降、その日の仕事に区切りがついた職場から順次入浴することを認めた。

東京-大阪間を往復した「こだま」や東海道線の通勤電車にはトイレはついていたが、当時はまだたれ流し式だった。走行中の糞尿は線路に落ちる前に床下機器に付着するから、電車を点検修理するためにはまずその糞便を取り除かなければならない。検修庫内のピット*の上に載せられた電車の点検補修はピット内での「糞便こそぎ落し作業」から始まる。一車両につきリヤカー三台分の糞便があったと言われる。こそぎ落せなかった糞便はさらに「気吹き作業」で落される。高圧の空気を吹き当てて剥がすのだが、剝がれた糞便は粉末となって空中に飛散し、作業者の髪や襟元に入り込む。夏場は汗をかくので特に付着しやすい。鼻や口からも入り込むのでマスクの着用も必要である。

田町電車区には一日の仕事が終わって帰るまでに作業で汚れた身体を洗う時間の取り決めがあった。それは時間外労働の内容を取り決めた労使間の三六協定にもとづくものであったが、一九五九年に当局が一方的に入浴時間についての約束を破棄したために紛争が生じた。当局は高輪署の刑事を構内に入れ、逮捕者四名をだす事態となった。現分会長はこの「入浴事件」当時の青年部長で、先頭に立って風呂場に入ろうとして逮捕された。この電車区にはこのような歴史があり、身をもって労働者の権利を守ろうとして逮捕された分会長は権利擁

*ピット：検修場内の線路の下に深さ一メートル幅二メートルほどに掘られたコンクリート坑をピットと呼び、電車の検査修繕を行なう検修作業はこのピットの中で行われる。

護の象徴的な存在として見られている一面もあった。

私と休憩室を占拠した集団との東京駅での一件は一九八〇年か八一年頃のことなのだが、次の一件は八六年の三月の話である。

この日、私は東京駅までの上り電車を運転した後、東京駅から回送電車を収容線に入れて電車区に戻る途中だった。夕方の五時頃で薄暗くなっていたのを憶えている。検修庫に沿った通路に入り検修職員たちの詰所や風呂場の並ぶ棟を通り抜けようとした時、風呂場の入口付近から四、五人の男たちが現れて行く手を塞いだ。

「なんの用だ」

前に立つ男たちに問うた。

制帽を被り支給品の半コートを着た男たちだった。よく見ると一年ほど前に転勤してきた運転士の江原の顔は判別できたが、他は帽子を目深く被り襟を立てているので判別し難い。江原たちは黙ったままだ。

「なんの用だよ、どけよ」

私は江原に向かって再び言い、電車から取り外して手に持っていた木製のブレーキハンドルを左右に振った。すると江原たちはそのまま去っていった。ブレーキハンドルを見て私がまだ仕事の途中だと気づいたのかも知れない。そのまま立ち塞いでいれば業務妨害になりえた。

二度目は八七年の二月頃だった。夜の一〇時過ぎ、終了点呼を終えて二階のロッカー室への階段を上ると、ロッカー室の入口に五、六人の男たちが立っていて、扉の前で固まり始めた。

「そこをどけよ」

私はそう言った。顔ぶれを見るとやはり江原がいた。清水もいた。清水は一年ほど前に私と同じ団地に越してきた男だ。清水も江原も同じ頃に転勤してきた勤労のメンバーだった。男たちはドアの前を開ける様子もないので、私は男たちを体で押した。男たちは互いの身体を寄せて私を押し返えしてくる。五人もいるのでかなうわけがないのは分かっている。

「なんのつもりだ、どけよ」

私は声を荒げた。

あたりには誰もいない。夜の一〇時を過ぎると二階のロッカー室は閑散として人の気配がなくなる時間帯が多くなる。

「どかないよ」

かたまりの後ろにいた清水が挑発する口調で言い返してきた。

「なんでどかないのだ、お前たちの嫌がらせなのかよ、どけよ」

一緒の者たちは薄笑いを浮かべている。自分たちの力を誇示しているのだ。私は声を大きくして対抗するしかない。睨みあっていると階段を上ってくる靴音が響いてきた。姿を見せたのは、先ほど私の終了点呼を受けた助役だった。なんのために上がってきたのか、男たちもそう思いながら見ていたようだ。助役は私たちに近づいてきたが、そのまま右側のトイレに入った。トイレは階下にもある。清水と一緒の男たちもそれと気づいたのだろうか、私から離れて階段を下り始める。助役は私の声に気づいて様子を見にきたのかも知れなかった。運転事務室には助役たちが数人はいるのだが、全員が全員、区長と同じ姿勢ではなかった。距離を置いて冷ややかな感じで見ている助役も複数人いた。階段を上がってきた助役もそんな一人だった。

勤労の組合員たちが、一日の仕事が終り薄暮の頃になると四、五人のグループになって構内を歩きまわるようになったのは八五年頃からか。いわば「私的巡回」である。

街の暴力団員が、夕方になると縄張りを見まわって歩くのと同じ感覚で分割民営化に反対している国労組合員を恫喝してまわるのである。中には五、六人に取り囲まれ、国労からの脱退を強要された者もいる。拒否すると脇腹に指を突っ込まれて捻じ上げられた。それを繰り返されたのは検修職場の国労組合員であった。ベルトの上から指を差し込んで捻ってくるのだという。それが一度や二度の捻りではすまなかったらしい。

その国労組合員と話す機会があって捻られた痕を見せてもらった。ベルトを少し下げると肌着の陰に黒ずんだ痣が二つほど見える。左側も見せてもらった。三つあったが一つは消えかかっている。四、五日前にやられたと言う。薄暮になると五、六人輪になっている人たちを見ても、少し離れれば誰がなにをやっているのか分からない。検修庫の両側は通路になっていて、奥には構内本部や信号所、動労の組合事務所、床屋などがあったが、日勤者が帰ってしまうと通る人はぐっと少なくなる。

このような職場の状況がしばらく続き、次第に国労の組織の揺らぎが表面化してきた。ほかの労組も含めて状況はかなり混迷し、流動化してきていた。国労の組織も脱退者が増え始め、当局と対決し続けるか妥協するかで内部に葛藤があり、選択を迫られていた。私の電車区ではもっと状況は進んで、分会長は昔の入浴事件のヒーローとしてのイメージを利用しながら、国労からの脱退希望者集めに狂奔していた。八六年四月には国労から分裂した分割民営化賛成のグループが「真国鉄労働組合（真国労）」を旗揚げした。そして七月には国鉄当局によって全国一〇一〇カ所に「人材活用センター」が設置された。

「入浴事件」の顛末

話が前後するが、この分会長をヒーローにした入浴事件が、分割民営化後どうなったのかに私は関心を持っていた。国鉄時代の労働者の遺産として護るべき権利がそこにはあったと思ったからである。私たち国労を脱退しなかった運転士たちは、分割民営化に反対したために電車区を追い出されてしまったのだが、その後の風呂場の使われ方に関心を持ち続けた。

私も新橋要員センターに強制配転されてしまったのだが、電車運転士の名前は形だけは残り兼務となった。「本籍」は田町電車区ということである。それで、月に一度は電車区に給料明細を受取りに戻ってきていた。その日も給料を取りにきて、電車区時代の仲間と待ち合わせをしていたが、早かったので時間潰しに久し振りに構内を歩いた。ＪＲになってなにか変わったことがあるのか見たかったのである。

大きな検修庫の一番奥に、車両の入れ替えや編成替えを行なう人たちの詰所や炊事場があり、その二階にロッカー室や仮眠室のある構内本部の二階建ての建物があった。その建物と検修庫との間に空地があってプレハブが一棟建っていたのだが、それが倍の長さになっていた。出入口の横には青いビニールのスノコで囲まれた壁が大きくせりだしている。屋根もついているようだ。

なにをするところなのだろう。そんな思いで見ていると、青い作業服を着た男がプレハブから出てきた。一見して清掃作業員の責任者だと判断できた。長い手鉤を右手で持っていたからである。その手鉤は車両の清掃点検には欠かせないものだ。

「詰所がだいぶ大きくなりましたね」

声をかけると男は立ち止り、ゆっくりと身体を向けてくる。

「そうですね、倍ぐらいですかね」

男もいま出てきたプレハブを振り返るようにして答えた。私をＪＲの社員と認めたようだった。

私は電車区のどの範囲まで清掃作業に入っているのか問うてみた。検修庫までは入っていないが、検修者たちの詰所や通路、風呂場などは清掃作業を行なっているという。風呂場のことがでたので、私は問うてみるよい機会だと思った。

まだ国鉄の頃、小田原発の上り東京行き最終電車に乗務し、東京駅で乗客を降ろしてこの構内の本部建物の裏側に広がる留置線に電車を入れるのは深夜の一時二〇分頃であったろうか。最後にパンタグラフを下せば私の仕事は終るのだが、そこには清掃作業員が待ち受けていた。私が電車を止め両側のドアを開けると、清掃用具の入った大きな籠が下から投げ込まれ、線路から必死に床に這い上がる作業員たちの姿があった。直ぐに箒を使った作業が始まるのだが、車内の光の中に粉塵が舞い上がり、虫とともに夜風に流されてゆく。そんな光景が運転室の後ろのガラス窓越しに見える。彼らもこれが最後の作業になるのだろう。

その頃私は休日だけの臨時ダイヤであった小田原からの最終上り電車に乗務することが多く、この深夜の清掃作業を幾度か見てきた。やがて班長が運転室に上ってきて、私はドアとパンタグラフの扱いを託して電車区に戻るのだったが、いつも気になるのは入浴事件のあった風呂場の前を通り過ぎる時だ。清掃作業のあと、あの男たちはこの風呂場を使っているのだろうか。そんな思いが強くあった。

現在の清掃作業者は社員たちが使う風呂場とシャワーを使えるのか、私は責任者らしい初老の男に問うてみた。すると長い手鉤を手にした男はゆっくり頷き答えた。

「シャワーで汗を流して仮眠しますよ」

私は風呂には入らないのかを再び問うた。

「入れない」

男はそう答えた。

「風呂桶はあるが家庭用なので二人が限度ですね。シャワーはこれまで二つだったけど二つ増やして四つにしたんですよ」

そう言いながら男は探ぐるように私に顔を向けた。

検修者たちが使用している大きな風呂場を使わせてもらえばよいではないか、そんな思いがあったので私はそれを男に問うた。初老の男は少し間を置き、ためらいながらも声を大きくして言った。

「それはお願いしたのですよ」

「それでも使わせてもらえなかった?」

「ええ、風呂場が汚れる、そう言われたのです」

その言葉に私はしばらく声を出せなかった。風呂場が汚れる。その言葉が胸に突き刺さったまま声が出ない。

「そう言ったのですか」

私は間違いではないのか、そう思いながらようやく声を出した。

「確かにそう言われました」

鉤棒を指先でクルクルまわしながら笑顔で答える。

「だってもう一時を過ぎているでしょう。その頃は誰も風呂に入っていませんよ。検修の担当者たちは遅くとも九時頃です。運転士も一〇時過ぎに入る者はいません」

私も幾度か検修担当者たちの大きな風呂に入ったことがあった。八畳か一〇畳ほどのステンレス板の湯船が入れ換えのために二つ連なっていたが、二つとも入浴はできた。両側には蛇口が三、四〇口並んでいて、その数の多さには裁判和解*の内容が反映されていたかも知れない。深夜の車両清掃を終えた者たちがたとえ一度に四〇人入浴したとしても充分な広さであった。この風呂場の清掃も、今は下請の清掃会社の中年の女性たちがやっていた。通路から出入りする姿を八五、六年当時幾度か目撃した。

＊裁判和解:入浴事件(一九六八年一月)の東京地裁での組合勝訴後、当局が控訴。東京高裁は和解の形をとったが、内容的には組合側の全面勝訴であった。

「お願いに行ったのはどっちですか。向こうですか、それともそこですか」

私はあえて問うてみた。向こうと指差したのは電車区のJR事務所、そことは元の動労の組合事務所だった。責任者は私に横顔を見せたまま答えてくれなかった。

JRになってなにもかも失ってしまい、意味のない質問だったと私はようやく気づいた。権利を全て無に帰してしまうようなことは決してないはずという思いが私にはあったが、「外注」を「害虫」と書き替えたビラをその当の本人たちに手渡す人たちだ。入浴事件で得た労働者の権利などは取引材料の一つでしかなく、しかも自分たちだけのものだったのだ。入浴事件の当事者だった分会長も同じ考えだったのか、確しかめてみたい気持が強く残った。結局、組合を二股かけたこの分会長は国労分会を混乱させ、権利をも全て放棄して去っていったのだ。

手鉤棒を手に黄色い帽子の下で笑顔をみせながら私を見つめている責任者は口惜しさを笑顔で隠しているようにも見えた。

「それで洗場を増やすしかなかったということですね」

「それしかなかったからねぇ。見ますか?」

責任者は私を促すとプレハブ詰所の入口に向かってゆっくり歩き始めた。見てどうにかなるわけでもないのだが、どんなものか見てみよう、そんな思いで私も歩きだした。

責任者の後ろをついていくと、入口の右手に青い波型のビニール板で囲われたドアもなにもない素通しの一角があった。囲いの角に家庭用の湯舟が一つあり、その横の下壁に銭湯にあるような二つセットの蛇口の洗い場が二つ並んでいる。その隣には立ったまま頭が洗えるシャワーホースが一つついていた。三メートルほど間をおいた反対側の壁にも洗い場二つと背の高いシャワーが取りつけられている。湯船が一つに洗い場が四つとシャワーが二つ。それが囲いの中の全てだった。

「こっちが新しく作ったところですよ」

責任者はそう言って湯舟のある壁に背を向け、両腕を水平に上げてみせた。洗い場とシャワーを倍に増やしたというのだ。

私はなんとも言いようがなかった。検修担当者たちの広い風呂場を思うと、労働者の権利の崩壊と結末を目の前にした思いに襲われて言葉が出てこなかった。

責任者に礼を言い、そこを離れたのは午後三時少し前だった。電車区庁舎に向いながら「風呂場が汚れる」の真意を私は測りかねていた。深夜一時を過ぎた風呂場を使っても、朝九時を過ぎれば清掃人が入る。「汚れる」は「使うな」ということだろうが、「穢れる」が本音だったのではなかったか。このようなＪＲの職場でこれからも働き続けていかなければならないのか。そう考えただけで暗澹とした気持ちになってくる。

嫌がらせ

仮眠をとっている隙に靴の中に水を入れられた事件と同じような陰湿な嫌がらせはＪＲになる前日まで続いた。自宅への深夜の無言電話だ。夜の一一時から一二時頃にかけて頻繁にかかってくるようになった。

初めは間違い電話だと思って切るのだが、五分ぐらい過ぎるとまた電話が鳴りだす。受話器を取り、声をかけてみるのだが、いつまでも無言のままだ。ツーと耳をつく音が聞こえるので切れてはいないようだ。受話器を耳に押し当てていると、車の走り去る音やハイヒールのような硬い靴音が聞こえ、夜の街の微かな騒めきも伝わってくる。駅前あたりの公衆電話を使っているようだ。

幾度目かの時、私も腹を据え簡単に受話器を置かないことに決めた。置けばまた掛かってくることは分かっている。相手が電話を切らなければ終りにならない根くらべだ。公衆電話の前に深夜どれだけ立っていられるか。一〇円硬貨を何枚投入口に入れ続けられるか。相手の根性次第だ。受話器を耳に押し当てて座り込み、壁に背を押しつけたまま寝入ってしまって、気づいた時には電話の音が短い断続音に変わっていたこともあった。

職場の仲間に話すと「オレのところにもきたよ」、そう答えた者が三、四人いた。どうやら幾人かが手分けして分割民営化反対の主力メンバーに電話をかけているようだった。対策として電話機を床に移し、受話器を外して上から毛布を重ねて被せることにした。同時に家族にも丁寧に説明し協力してもらった。相手は家族を不安に陥れて動揺を誘い、私を退職に追い込む。それが嫌なら国労を脱退しろ。そう威嚇しているのだ。

私が泊り勤務で留守の時の無言電話の有無を家族に聞くと一度もなかったという。私の勤務表を調べて在宅時を狙って電話をしてくる人物がいるのだ。それは私と同じ職場で運転士をしている動労の組合員であることにほぼ間違いはなかった。

私は運転士たちを注意深く観察し始めた。そして一年前に転勤してきたリーダー格の組合員の一人が浮かび上がった。私はその男の勤務表を逆にチェックし始めた。初めは半信半疑だった。同じ宿舎団地の者だったからである。しかし、一カ月ほどの勤務表と無言電話のあった日を突きあわせてみると、その運転士の泊り勤務の夜には電話がなく、日勤か明け番、あるいは休日の夜がほとんどだ。電車区の運転士は運転当直室にある乗務予定表を気軽に見ることができるが、当直室は他所の者が自由に出入りできる場所ではない。

無言電話だけでは効果が薄いとみたのだろうか。分割民営化へ一年を切った四月の終り頃から、アパートの部屋のドアに「国鉄を辞めろ」とか「赤字の元凶」などの文字がマジックなどで落書きされ始めた。

朝、家族がドアの上になにか書かれているというので外に出てドアを見ると、そんな文字が覗き穴の下に書かれていた。五階建ての一階だったので上階の人たちの目に朝晩さらされたことになる。無言電話と同じ男の仕業と思われたが、放置することもできず、その日にシンナーの小さな缶を買ってきて拭き取った。しかし三日ほど過ぎるとまた同じ筆跡で「国鉄を辞めろ」の文字が書かれていた。

無言電話と同じように繰り返されることは覚悟した。来年の四月までにどのように国鉄が変わるのかは分からないが、ここはともかく踏ん張るしかなかった。

落書の相手は無言電話と同じく団地の端に建つ棟の四階の男であることはほぼ間違いない。しかし、どうすれば止むのか分からない。結局私も同じ落書で対抗するしかなかった。相手が嫌気がさして止めるまでこちらも同じように繰り返しやるしかない、そう思った。しかし、相手も書き返してきて効果はなかった。

職場で無言電話の被害を受けていた四人の運転士に聞いてみると、やはり玄関ドアに落書きをされていて、同じようにどうしたらよいのか困惑していた。二、三回会って話し合った時、その一人に教えられた文句が非常にインパクトが強く、私たちはそれを試みることにした。

同じ団地内に住む運転士の勤務表を調べ、泊り勤務日の深夜に団地端の棟の階段を上っていった。一一時を過ぎると団地内は静かで人影も靴音もなく、道路の向こうを走る山手線の走行音だけが周囲を包み込む。私は表面が風化した濃紺色のドアの覗き穴の下に、横に楷書で「人殺し」と少し大きめに書いた。離れて眺めると黒くくっきりと見える。書きなぐりではなく、きっちりと横に書いたのが良かった。この「人殺し」以降、私の玄関ドアへの落書がぴったりと止んだ。思ってもみない効果だった。自らの影におびえたのだろう。

自殺者

同じ頃、国労組合員など分割民営化に反対した組合員の自殺者の数が一〇〇人を越えようとしている、そんな話も聞こえてきた。多くの職場で組合脱退を目的とした差別やいじめが横行し、組合脱退に前向きでないと見られた者への管理者たちの態度は露骨さを増してきていた。特に三五歳から四五歳ぐらいのベテランで仕事の中核を担っていた組合員たちが主なターゲットにされていた。その典型的な例を二つ、国労の資料集*から私の体験も踏まえて書いてみたい。

兼子氏は新幹線小田原保線支区で八名の総括責任者として現場に出ていた。上司からは「助役試験を受けろ」「組合のワッペンを外せ」などと言われ続けていた。本来世話好きでお

* 『国鉄闘争・分割民営資料集』国鉄労働組合／二〇一二年発行

おらかな人柄だったが、意図的な当局の難題に頭を抱えた。「偉くならなくていい」「国鉄を辞めてもいいじゃないか」などの妻の言葉に、一時は明るさを取り戻したというが、現場からデスクワークの企画課に仕事を替えられ、ここでも無理な仕事を押しつけられた。兼子氏は八五年四月一五日の夕方失踪し、一六日には警察への捜査願も出された。そして一九日に以前勤務していた早川駅の旧軌道検査詰所で巡回中の同僚によって遺体で発見された。同僚は直ちに小田原支所長に連絡したが、支所長は自分たちが見た後で警察や家族に連絡すると伝えたという。組合役員や同僚たちも現場に駆けつけたのだが、支所長たちは彼らが中に入るのを拒んだ。警察でもないのになぜ拒んだのか。支所長たちは遺言を探しだし、それを隠蔽しようとしたと組合員たちは指摘する。事実、支所長たちの行動は警察官にも咎められた。なぜ遺書に執着するのか。

実は兼子氏は失踪の直前に支所長に呼びだされてなにごとかを言い渡され、メモも手渡されていた。それが自殺に追い込んだと分っているからこそ、その証拠を支所長たちは隠蔽しようとした。組合員たちからそう推察されていた。

「いまの国鉄当局なら、こんなこと平気でやるさ」

組合員たちはそう囁き合っている。

「いま、国鉄は厳しいのでなにぶん穏便に。記者も駆けつけているので」

支所長は警察署で担当署員に繰り返し哀願していたという。一家の大黒柱を自殺に追い込んで「なにぶん穏便に」もないだろう。

二つ目は新橋駅の出札窓口から現金の札束が一つ紛失した事件である。八五年の八月、夏休みが始まっていた。紛失時の出札担当者だった島田氏が犯人扱いされ、連日の取り調べが続けられ自殺に追い込まれてしまった。

問題点は三つあった。一つは出札窓口が仕切りのある旧式の窓口からオープンカウンターに替わったばかりだったこと。二つ目は同じ時期に人員削減が行なわれ一人勤務になる時間帯があったこと。三つ目はなによりも島田氏への取り調べが休みも入れず連日一カ月以上も続けられたことである。

当時、私の友人が有楽町駅の出札窓口を担当していたので他人事とは思えず、その友人を訪ねた記憶がある。友人は島田氏とは高校時代からの親友だった。

「腰を伸ばせば手が届きますよ」

友人はできたばかりの有楽町駅のオープンカウンターの前に私を連れていくと、そう言ってカウンターのうえに腕を伸ばした。指先はカウンターの内側に作られたテーブルに触れようとしていた。人のいない時に外部の人間にカウンター越しに盗られた可能性が高い。このオープンカウンターへの切り替えと人員削減が同じ時期に行なわれたのはなぜか。私には働く人たちのことも考えず強引なやり方をするものだという思いが強く残っている。

事件後の島田氏は「待命日勤」とされ、文字どおり「命令を待って従う日」が強制された。食事とトイレ以外は取調室とされた部屋から一歩も外に出ることが許されなかった。

鉄道公安官の取り調べに始まって、管理局の営業、総務、会計、運輸長などからの事情聴取が次々に行われた。取り調べのない時はその部屋で始末書や供述書などを幾通りも書かされた。その取り調べは自殺の前日まで強制された。妻には「お前だけはオレを信じてくれ」、そんな遺書が残されていたと言われている。この島田氏の件は、人権侵害はもちろん、監禁罪に当るのではないだろうか。

八六年一一月の時点で、国労組合員の自殺者は八六人を数えた。同じ年の一〇月、国労は臨時の組合大会を修善寺で開催している。国鉄当局から迫られていた「労使共同宣言」を承認するか拒絶するかを決める大会で、拒絶を決定したものの国労は分裂した。この頃、国労自体が非常に厳しい局面に立たされていたのである。

ＪＲが発足した八七年の警視庁の発表によると、一般の自殺原因の半数以上は病気を苦にしたものとなっている。しかし、ＪＲ関係者では「原因不明」とされるものが多く病気は少数である*。これは職場関係が大きく影響していると見ざるを得ない。

遺言を警察官が到着する前に探し出し、隠蔽してしまおうとするかのような新幹線小田原保線支区の管理者たちの行動は、常識ではとても理解できない。新橋駅の件は管理者たちに管理者としての矜持も人間性も感じることができない。ただただその時の出札担当者を犯人と決めつけ責めたて認めさせるのが仕事といった感じで、まるで戦場の兵隊として敵兵を見つけた時の役割を担っていたようだ。兵隊の役割は敵を捕虜にできなければ殺害することが任務なのである。

戦前の国鉄は準軍隊組織だった。朝鮮半島から満州、東南アジアでの鉄道の敷設は侵略戦争の基幹を支える最大のものである。兵員と物資の輸送が円滑でなければ戦争を続けることはできず、迅速性が求められたのである。これを担ったのが鉄道連隊であった。日本国内はもちろん、朝鮮半島、満州、東南アジアの各地に置かれた。

奉緬鉄道はインパール作戦の補給線としてタイとビルマの国境を跨ぎ、一九四キロに渡って敷設された。タイ側は第九鉄道連隊、ビルマ側は第五鉄道連隊が担った。イギリス兵やオーストラリア兵の捕虜、そして現地の住民が動員された。多くの犠牲者を出し、敗戦後、連合軍側の厳しい戦争裁判を受けた歴史が厳然として残されている。

戦後の国鉄はこのような連隊を数多く抱えた戦前の鉄道省が前身となっているのであり、敗戦後の意識改革もされずに戦後に引き継いだのである。戦後、国鉄には組合ができて、組合側は憲法や労働基準法を学んで学習したが、戦前の組織をそのまま引き継いだ国鉄官僚た

＊前出の資料集二五七頁

ちは、戦前の考えをそのまま継承し、その考えを改める努力は一切なかったと思われる。つまり、上からの指示は命令だと認識し疑問があっても服従することが自分たちの責務だと捉えたのである。国鉄労使の対立は戦後憲法のもとでの考えと戦前の考えとの対立でもあった。法律でスト権*を縛り上げてみたものの、仕事と生活実態を直視しないので紛争はあらゆるところで発生した。

そのあげくの分割民営化の強行であったのだが、八六年一〇月の修善寺大会までの一年半で八六人の自殺者を数えた。これについて分割民営化「国鉄改革三人組*」の一人、葛西敬之（当時職員局次長）は「自殺者が顕著に増えているとも、その原因が改革に関連しているとも思わない」と言い放った。三六協定についても葛西は「一方的に破棄してもよい」と発言している。先に見た「入浴事件」などはその「一方的な破棄」の典型で、協定を破った国鉄当局が高裁でも全面敗訴となった。

三六協定は現場当局と現場組合組織の合意の上に締結されるものなのだが、都合が悪くなるごとに当局が一方的に破棄してしまうので、そのつど組合は労働委員会に訴えざるを得なかった。その労働委員会の裁定は九〇％の割合で組合の言い分を認めてきたのである。

国鉄の現場で労使紛争がこじれたのは、国鉄当局の官僚たちに葛西のような傲慢な者が多くいたからであり、多くの国労組合員の命を奪っていった背景にも、彼らの戦前そのままの意識の頑迷さがあった。

「清算事業団ができた八七年の後も苛酷な状態が続けられたことを考えると、やはり一五〇人は超えていたのではないのか」

これは自殺者の集計に携わっていた組合本部で法務対策を担った職員の分割民営化を三年過ぎた時点の述懐である。

二〇一〇年頃、三島市に住む六〇代の女性が、私たち国労のサークル誌に入会を申し込んできた。

「新幹線の三島基地で検査係として働いていた夫は国労の人たちと一緒だった。退職後、国労の人たちに申し訳ないと言うようになり、自殺した。それで国労の人たちに一度会ってみたかった」

動機を尋ねた私に女性はそう語った。自殺したのは退職後一〇年前後のことらしく、晩秋の海の見渡せる林の中の睡眠薬での自殺だったという。

＊スト権：憲法が保障する労働三権の一つである団体行動権に含まれるストライキをする権利だが、戦後まもなく公務員労働者から剥奪する法的措置がとられた。

＊三人組：中曽根内閣の分割民営化路線に呼応して、国鉄内で積極的に動いた三人のキャリア官僚、松田昌士、葛西敬之、井手正敬を指す。いずれも戦後憲法を否定的に捉えた国鉄官僚だが、松田はＪＲ東日本、葛西はＪＲ東海、井手はＪＲ西日本の社長になっている。

中曽根首相が分割民営化に手をつけたのは八二年のことだ。その中曽根はＪＲ発足時の国会答弁で「新会社設立に当たっては一人も路頭に迷わせない」、そんな心にもない言葉を弄んでいる。*

人活センター

国鉄当局は八六年七月一日、全国一一〇〇カ所に人材活用センターなるものを設置し、一万六〇〇〇人の国労組合員を「収容」した。ターゲットにされたのは、現場の活動家たちである。

私のいた電車区からは事務所勤務の若手リーダー格の四〇代の男が送り込まれてしまった。社会党員で妻も市議会議員に当選し、夫婦で地域活動にも力を入れていた。それが目障りで「人活」送りになったと思われる。

その男が送り込まれた人材活用センターは春に廃止された東京機関区*にあった。乗務明けの運転士三人で激励にいったのは七月に入って一週間を過ぎた頃だったろうか。初夏の暑苦しい日だったことを憶えている。

到着した元機関区の建物の玄関口に「品川地区人材活用センター」と書かれた大きな看板がかかっていたが、左奥の元の検修庫入口付近に多くの人の気配があったのでそこに足を向けた。

検修庫はレールが剥がされピットも埋められてなにもなく、平坦になっていた。内側を窺がうと、五人か六人が寄りあって作業をしているのがいくつか見えた。班ごとに分けられているのだろう。白いヘルメットに白手袋の制服姿の一〇人ほどの男たちがグループ全体を囲むように立っている。看守役の局員のようだ。

班ごとに分れた男たちは、それぞれに金ノコを持って廃材のレールを薄く輪切りにスライスしている。台に載せられたレールに覆いかぶさるようにして上半身ごと左右に動かす。背中には汗が流れ落ち、首にかけたタオルで頻繁に拭きながらの作業で、誰もが上半身裸だった。

私たち三人は事務職だった男の姿を探した。皆同じ紺色の作業ズボンに上半身は裸なので見分けがつかなかったが、ようやくそれらしい姿を見つけだした。近づいて声をかけようと歩きだした時、白ヘルメットの男たちに行く手を阻まれた。両手を広げて前を遮られたのだ。

仕方なく私たちは休憩時間まで待って会った。限られた時間での短い会話だったが、彼の顔付きが変わってしまっていて、以前とは違う人物としか思えなかった。

＊『週刊金曜日』二〇〇六年一二月一日を参照
＊東京機関区：三頁の地図を参照

この人活センターでなにが行なわれ、彼がなにと向きあったのかよく分からない。しかし、職場に戻ってきても私たちと一緒に行動することはもうないだろう。そう思わせるものがあった。私は周囲にいる半裸姿の男たちの表情を窺った。拘りを全て捨て去ってしまったような表情の男たちが多く、私は場違いなところにきてしまったような戸惑いを覚えさせられた。

短い休憩時間での会話を終え、帰路についた。三人ともなんの会話もなく歩き続けた。ただ無力感に捉えられていた。汗にまみれ拘りを捨ててしまった男たちの表情が背中に張りついて、いつまでも後ろにあった。

私は読みかけのアレクサンドル・ソルジェニーツィン*の『収容所群島』を思い起こしていた。ソビエトの反体制作家が収容所の実態を記録した長編だ。

私たち国労のサークル誌が八二年と八三年に勉強会を行なった時、講師に井上光晴*氏を招いた。テーマは「文学とはなにか」、テキストに使われたのが『収容所群島』だった。私も購入し読み始めたが、なぜソルジェニーツィンが収容所に収容されてしまったのかに興味を持ったのを記憶している。それがソビエトという社会体制を知る大きな手掛かりにもなった。

当時陸軍大尉だったソルジェニーツィンはその階級を剥奪され国家反逆罪で収容所行きを命ぜられた。しかし、自分がどこで国家反逆罪を犯したのか、思い当たるものはなにもなかったと述懐し、その後、収容所生活を過ごす中で一つの光景が思い浮かんできたことを語っている。

戦車隊を指揮していたソルジェニーツィンは、ある時廃屋の中で休憩をとり、戦友たちと作戦について意見を述べ合うことになった。ディスカッションになったのだが、その時の意見が上部批判と見なされ、密告されたのかも知れない。そのようにソルジェニーツィンは述べている。

どうすれば仕事が上手くいくのか。それをめぐる議論は普段の生活でも常にあることで、軍隊の作戦上のことであれば当然細部のことでも重要になる。反省がなければ次の作戦は立てられない。

先刻までいた人活センターで見たものはなんだったのだろう。激励に訪ねたはずの男はまるで違う人間になってしまった。そう見えるほどの表情の変わりようはなにを語っているのだろうか。人活センターの男たちの表情と、ソルジェニーツィンが記した国家反逆罪で収容所行きを告げられた時の動揺、ばらばらだった二つのイメージがシンクロしてくる。日常の生活から非日常の生活に自分の意志に反して移ることを強制された時の人間の戸惑いと驚き、

＊ソルジェニーツィン（一九一八～二〇〇八）：ソ連時代の作家。『イワン・デニーソヴィチの一日』でノーベル文学賞を受賞。一九七四年、国外に追放されるが、ソ連崩壊後の一九九四年に帰国。
＊井上光晴（一九二六～九二）：社会の矛盾や差別に対時した作家であり詩人。「全身小説家」と呼ばれた。『地の群れ』など作品多数。

それは共通するのだ。

ソルジェニーツィンは自分たちのディスカッションをなんの問題にもならない日常の会話と捉えた。人活センターに収容された人たちも労働者の権利を放棄することなどとても受け入れられない当たり前のことと考え生活してきた。そして「収容所」に入れられ、精神的肉体的な迫害を受けることになった。

マスコミを動員した反組合キャンペーンは八二年一月から始まった。しかし、それを五年間続けたにもかかわらず、職場で活動を担い続けている三〇代後半から四〇代前半の組合員たちの意気は落ちなかった。なんとしてもこの者たちを排除しなければ分割民営化は危うい。そう中曽根たちは考えた。そんな事情で、にわか作りのなりふり構わぬ人活センターへの収容となった。例えば横浜の人活センターの詰め所は有刺鉄線で囲われていて、そこから連日連れ出されて草刈り作業をさせられた。各人活センターから集められた二四人は三島から小田原まで旧東海道の山路三二キロを無理やり歩かされた。私たちが訪ねた旧東京機関区での人活センターでは文鎮作りと称して一メートルが重さ五〇キロあるレールを手動の金ノコで薄く輪切りにする作業をやらされていた。金ノコを握りレールに屈み込んで上半身に力を込め、汗まみれで腕を前後している姿は「賽の河原の石積み」の現世版に見えた。懲罰的な作業としか思えないものばかりだ。

これは本当に日本に起きていることなのか。私は歩きながら幾度も繰り返し自分に問うてみた。日本には憲法があり、思想信条の自由も労働基本権もあったはずだ。それがないも同然になってしまった。それが今日の人活センターで見てきたことだ。そう考えるしかないのだ。日本はどんな国になってしまうのか。職場規律違反を名目に分割民営化に反対した組員が取り締まられ、排除されてしまったのだから、日本も専制国家だったと考えるしかない。このまま組合が潰され、なくなってしまったらオレたちはどこでどうやって暮らしていけばいいのだろう。そこまで考えると、日本には憲法があるはずだし、労働基本権だってあったはずではないかとの思いが再び強まり最初に舞い戻ってしまう。

帰り道、来た時とは異なる近道を選んだのだったが、人活センターの理不尽な現実に耐え切れなくなって歩きながら私はおもてを上げた。

ところどころ舗装が剥がれてしまっている荒れた路面の右側には四、五メートルの高さの夾竹桃の並木が続いている。その枝々に桃色の花が咲き誇っていて、時折強い風に波打つように揺れ動く。その動きに心も揺れて押し戻されてしまうのだった。

どう考えてもこの理不尽さが戦後四〇年目の日本の現実であり、誤魔化しようがなかった。結局、スターリンも中曽根もやっていることは同じではなかったのか、そう思った。

スターリンも中曽根も日常の生活意識を悪者に仕立てて縛り上げ、見せしめとして収容所に入れて懲罰を加えてきたのだ。これが中曽根や自民党の「民主主義」だということのようだ。オレたちの民主主義は国鉄赤字の責任と罪を押し付けられ、国賊などと言い立てられて、「収容所」に入れられ、悪者に仕立てられてしまったようだ。そのことがはっきり見えた思いがした。

私は異空間に踏み込んでしまっていることに気づき足を止めた。道路が歪み、路面が崩れて身体のバランスを失っていく感覚に襲われる。夾竹桃の枝が揺れ、花の咲く梢が波打ち始める。

「このまま生きていけるのだろうか」

私は揺れ動く夾竹桃の向こうに続く道路を見つめて立ち尽くしていた。

魂のこと

「村山さん、村山さん」

遠くで私の名を呼ぶ声がする。

目を開けると私は青梅駅のロッカーのある詰所の椅子に腰を下ろしていることに気づいた。左側に流し台と長テーブルがあり、その流し台の向こうに黒崎が椅子の横に立ったまま、こちらを見ている。

「コーヒーを淹れたから、飲みなよ」

私が顔を上げたのを見て黒崎が言った。

椅子に腰を下ろして腕を組んだまま、今後のことを考えながら時間待ちをしていたのだが、黒崎が詰所に入ってきてコーヒーを淹れていたことなど全く気づかなかった。

黒崎は立ち上がると私に近づいて顔を覗き込み、流し台の横に置いてあったコーヒーカップを手にすると私に差しだす。

私はそれを受けてとって少し飲んだ。苦かった。

黒崎は元に戻ることもなく、私の横に立ったまま流し台の前の窓からホームを見ていた。

「ああいう男、初めて?」

駐在所にいったあのような男はめったに来ないのではないか。私はそんな思いから問うてみた。

「おかしいのは時々くるよ」

バッヂを外せとまでは迫ってはこないが、おかしいのは時々くるということのようだ。都心から離れていると言っても、やはり同じような人たちは多いのだろうか。私は椅子を長テーブルの前に移しコーヒーを飲んだが、苦さだけがいつまでも残る。

「村山さん、帰りなよ、もう帰ってもいいよ」

黒崎が突然、大きな声で言う。

黒崎だけが一人、笑顔で上機嫌だったのだが、早く帰れと言い出したのは、多分、私に対してのねぎらいなのだろう。まるで駅長か助役にでもなったかのようだ。これといった話題も見つからず、くさって黙り込む私を危惧してのことだったのかも知れない。時計を見るとまだ四時前である。椅子に腰を下ろしたまま、私は黒崎を見上げて言った。

「大丈夫だよ、少し疲れただけだから」

「でも、もう帰っていいよ。仕事なんかもうなにもないんだから」

そう言いながら私を見続けていたのだが、

「あ、助勤簿か、オレがもらってきてやるから」

黒崎は事務所のドアへ向かって勢いよく歩き出した。

まだ一時間以上もあるのに大丈夫かな、そんな思いでドアに向かっていく黒崎の背中を見送ったのだが、背筋を伸ばした後姿に要員センター時代とは違う黒崎を見る思いがした。あと一時間も私がここに座り続けていたら、放ってもおけず彼が困るのも確かなことだった。

そんな思いで戻るのを待ち続けたのだが、なかなか黒崎は帰ってこなかった。

助勤簿には一七時までの勤務時間を記入しなければならないから、助役にとっても抵抗があるはずだ。その辺りをどうするのだろうか。逆に黒崎が咎められているのではないか。そんな心配もある。黒崎は忘れかけているようだが、一年ほど前までは私と同じく助勤簿を持ち歩く国労組合員で、この青梅駅にも何回かきているはずだった。本人はともかく、この駅の助役たちはそれをしっかり頭に刻みつけているはずである。素直に記入してくれればよいが、そんな思いでいるとドアが開き、黒崎が姿を現した。右手に助勤簿を持ってこちらに向かってくる。

黒崎は私の前までくると助勤簿を黙って差しだした。私は笑顔で受け取り、今日の日付と退出時刻を確認する。間違いなく一七時と記してあった。そこを示すと黒崎は無言でただ頷いた。

助勤簿が返ってきたとなれば一秒でも早くこの駅を離れてしまいたい気持ちになる。着替えも早々に戻ると、黒崎はコーヒーカップを右手に持ったまま窓からホームを見ている。

「四時一五分の折り返しがあるよ」

私に背を向けたまま黒崎が告げる。

「それで帰るよ」

私はそう答えて、制服を入れたバックの横に助勤簿を押し込んだ。折り返しの東京行きとなる電車がホームに入り込んできた。発車まで七、八分ある。

「じゃぁ」

バッグを肩にして私が言うと、黒崎は少し眠そうな目をして頷いた。

折り返し電車のまばらに座る乗客のシートの一角に腰を下ろすと我に返った気分になる。彼の気配りがあっての四五分ほどの早帰りとなったのだが、なによりも「魂が売り渡されていなかったこと」に安心するより他はなく、嬉しかった。あの物怖じしない元気の良さが渋る助役を説得し押し切ったのかも知れなかった。改めて頼りになる組合員であったことを思うと、ざらついていた心も癒されてくる。

福生を過ぎ、拝島の駅を出る時にはシートはほぼ埋め尽くされ、若い男女の乗客も多く笑い声と会話が耳を打ってくる。ラッチに立った時の乗客の姿には緊張感を覚えるが、今は癒しとなっていた。

私は電車の向い側のシートの上を流れるガラス窓の空に目を移した。黄色い雲の広がりがいつの間にか橙色に変わり、空一面に広がっていた。拝島駅を過ぎる頃には山塊も切れ、その切れた空の果てから橙色の雲が色を増して茜色に燃え上っている。一日の終わりを告げるフィナーレが始まろうとしている。

バカバカしく嘘みたいだった私の一日も終わろうとしていた。

〈本書刊行に寄せて〉

民主主義を破壊した中曽根改革

鎌田　慧

「国鉄分割・民営化」。いまではほとんど忘れ去られている、妖怪の悪業だった。三八年前、日本列島に荒れ狂っていた暴風だった。一〇一歳まで生きた死後に、「大勲位菊花章頸飾」という仰々しい勲章を得た、中曽根康弘元首相の強権だった。

「戦後政治の総決算」ともいわれた。国有財産を民間資本に横流しする「クーデター」であり、日本の労働運動の中心だった「総評」にむけた攻撃でもあった。「国労が解体すれば、総評も崩壊するということを明確に意識してやった」と中曽根は豪語していた。

ひとつの政策が一五〇人以上の人間を自殺に追い込んだ、としたなら、それは戦争にも匹敵する悲惨といえる。政策に反対した国鉄総裁は解任され、職員で反対するものは、「人材活用センター」という名の収容所に、政治犯のように収容された。そこはダニやネズミの巣窟だった。仕事は与えられなかった。

そのあとは「精算事業団」に移籍させられ、やがて解雇（精算）された。あるいは著者のように、電車の運転士だったのに、「要員機動センター」に移され、切符切りや掃除など、日々、「機動的」に雑多な仕事にこき使われた。人格無視の、公然たる、これみよがしの露骨ないじめが横行していた。耐えられないものが自殺に追い込まれた。「国家的不当労働行為」ともいわれたが、「国策集団虐待」だった。そして、JR発足と同時に、一〇四七名が解雇された。「国鉄労使国賊論」が幅を効かせていた。この国策に反対するマスコミは、ほとんどなかった。異常な事態だった。

JRの出発は一九八七年四月一日だった。まるでエイプリル・フールのような奇策だった。中曽根や財界に協力した国鉄上級職員三人組が「改革」三銃士ともいわれた。総司令官・井出正敏はJR西日本社長、参謀・松田昌士はJR東日本社長、戦闘隊長・葛西敬之はJR東海の社長の職を分配した。この三社がもっとも利益率が高かった。それぞれの勇ましい呼称は、松田昌士「参謀」の解説による。わたしは「国鉄処分」と書いたが、これでは「国鉄内戦」ともいえるようだ。そのあと、北海道などには、消された線路が多かった。

著者の村山良三さんは、一九九二年に『JRジプシー日記　国労の仲間達とともに』を出版している。その頃、まだJRでいじめられながらの執筆だったから、勇気ある書籍だった。

今回の『JR冥界ドキュメント　国鉄解体の現場・田町電車区運転士の一日』は、それから三二年たって、書きおろされた執念の書である。三二年間、沈潜、屈折した思考のエッセンスが、豊かな表現を得て、蘇った。

国労（国鉄労働組合）は、国鉄分割・民営化にたいして真っ向から反対した。が、内部から当局に迎合する第二組合がつくられ、分裂させられる。国労組合員は組合バッヂをつけて抵抗したが、つけていると、業務命令違反として、昇給はカットされ、昇進は見送られた。バッヂは強制的に外された。バッヂを外させた駅長はその功績が買われて、大きな駅へ栄転した。この異常な世界が日常だった。

「同じ職場で働きながら、意思の疎通が意図的に阻害されていて話したくとも話せない。会話ができない。そんな状態の職場を職場と言えるのだろうか。そこは職場ではなく、まるで死後の世界だ。私はそこに出勤を余儀なくされている」

労働者としての共通認識はない、世界が違う他者。そればかりではない。ある日、ロッカーが勝手に開けられ、ハンガーに吊るしてあった通勤着が下に落ち、石鹸やタオルが散らばっていた。嫌がらせだった。労使の対立が労働者同士の卑劣な対立に仕立てられた。村山さんはわたしと同年代。戦後の民主化の発展と未来を信じていた世代である。

岸首相の日米安全保障条約締結。中曽根の「国鉄改革」と「原発推進」、安倍、菅、岸田と続く軍拡と日米共同戦略。「国鉄改革」は職場の民主主義への攻撃であり、戦後の否定であった。その流れがいま、憲法否定にむかっている。この本には、国鉄分割・民営化を推し進めた黒い流れが、暴力的に向かってくる姿が、はっきりと捉えられている。

（二〇二四年六月）

あとがき

「街角ピアノ」がテレビで放映されていた。駅の片隅の花柄をほどこされたピアノに初老の男が近づき、リュックを足もとに置くと、椅子に腰を下ろす。やがて流れでた旋律は「パリは燃えているか」であった。演奏を終えると男は上体を起こしてカメラに向かい、語り始めた。

＊

昔の感情が不意に甦り、心を揺さぶられて若かった頃の時代に引き戻されてしまった。フランス・レジスタンスをイメージしての曲であることはＮＨＫの「映像の世紀」の出だしとして憶えていたのだが、戦争とはなにか、自由とは、生きることとは、そして愛とは……。若かった時代に探しあぐねた心の軌跡がピアノの旋律によって揺さぶられ、はるかな記憶の闇をくぐり抜けて浮き上がってくるようだった。

敗戦を境に私たち家族の生活が一変してしまったことが、戦争を意識的に考えるきっかけを与えてくれたのであったが、私の問いに応えてくれたのは日本の社会ではない。「無防備都市」、「戦火のかなた」[*]など第二次大戦後の欧米の映画フィルムの映像であった。「エデンの東」[*]や「道」[*]など、よく理解できなかったものもあったのだが、なにがテーマなのかは年月が教えてくれた。また、ポーランドの映画監督であるアンジェイ・ワイダの一連の作品は人と組織の繋がりとともに戦争をよりリアルに語ってくれていた。

映画や小説は、どのような形であれ、人間としての尊厳が保たれ創られたかが物語の芯の部分に存在しなければ成立しないと思えるのだが、ドイツとソ連双方から侵攻を受けたポーランドで人間のプライドとその尊厳がどのように維持され、また守られようとしたのかをワイダは作品で試みてみたのだと思う。

その一つにタイトル名「聖週間」という映画がある。一人のユダヤ人女性を地区の住民が匿っていることが近所に知れて争いになる。ドイツ軍に知られたらその地区の住民全てが処刑の対象となる。そんな中で子どもも含めた人々が組織をつくり、ドイツ軍に立ち向かおうとした。まだあどけなさの残る一〇歳前後の子どもたちまでもが、ドイツ兵を撃つのだと家にある古い銃の話をブランコのそばで近所の女たちに語るシーンがあった。

映画は、バズーカ砲や機関銃を肩にした七、八人のドイツ兵が、ピクニックの帰りでもあるかのように弾んだ会話と笑いを交わしながらまだ硝煙の残る広場を移動していくシーンで終わる。そのドイツ兵たちの姿を建物の陰から匿われていたユダヤ人女性が見つめていた。

一九九三年、パレスチナ問題解決のための「オスロ合意」が大きなニュースとして伝えられたのだったが、二〇二四年の現在イスラエルがガザ地区で子どもたちや住民に対して行なっているのはなんなのか。人間としての尊厳、民族の誇りや感性などは、八〇年前のホロコーストで自分たちから全て失われてしまったのだと主張しているのかも知れない。

＊

私がこの『ＪＲ冥界ドキュメント　国鉄解体の現場・田町電車区運転士の一日』を書くきっかけとなったのは、国鉄の分割民営化のことをお茶の水の「ＰＡＲＣ自由学校」で話すことになった二〇一七年のことだった。私なりに資料を作って準備したのだが、二〇名ほどの参加者を前に「分割民営化とは何か」と問われ、即答できなかった。あまりにも多くの出来事が積み重なっていて、どれを取りだして答えればよいのか、分からなかったからである。与えられた二時間が、少しも話が噛みあわずに終わってしまい、その場を設定してくださった「ＰＡＲＣ」の当時の共同代表者であった内海愛子氏には期待にそえず申し訳なかった。しかし、この氏との出会いが今回の出版につながったことに深く感謝している。

現在は、明確に答えられる。国鉄の分割民営化は、中曽根康弘が行なった戦後民主主義に対するクーデターであった。

＊「無防備都市」、「戦火のかなた」：ロベルト・ロッセリーニ監督のイタリア映画
＊「エデンの東」：エリア・カザン監督のアメリカ映画
＊「道」：フェデリコ・フェリーニ監督のイタリア映画

「中曽根行革を助けるために集まってきた事務次官の過半数が、かつての戦争仲間」だったことを雑誌『ＡＥＲＡ』*が伝えている。中曽根自身の言葉で言えば「海軍時代の同僚と後輩、旧内務省などで同じ釜の飯を食った連中」が中曽根の政策を支えたのだ。そこに旧陸軍の参謀だった瀬島龍三なども加わる。

戦後の憲法では、首相には職務として憲法を擁護する義務があるのだが、中曽根は逆にその憲法を破壊し、社会の流れを逆流させてしまった。そのことがその後の「失われた三〇年」を呼び込むことにもなった。政権後半の「規制緩和」政策が土地バブルを発生させ、その崩壊が「失われた三〇年」の起点となったのだ。

本文でも何度か触れたが、保守系の新聞などに「ヤミカラ・キャンペーン」を五年にわたって行なわせ、組合活動が「悪」であるかのような印象を社会に刷り込んだのは中曽根であり、それと手を組んだ読売新聞社の渡邉恒雄（俗称ナベツネ）ではないかと思われる。その結果、組合は力を失い、働く者たちが自分たちで職場の不安や不満を解決する場が失われていった。二〇〇八年のリーマンショック後には未組織の非正規労働者が大量に生み出されていく。ある精神科医に「日本はうつ病大国になってしまった」と嘆かせるほど人々の間に精神疾患が広まっているが、その根底には中曽根による「国家的不当労働行為」が社会を停滞させ、閉塞感を強めたことにあったと私は考えている。

「失われた三〇年」でなにが失われたのかはよく問われることだが、社会の活力とか経済成長が失われただけではない。「戦後民主主義」そのものが中曽根とそれにかかわった「連中」によって破壊され、失われてしまったのである。

＊

分割民営化の過程で印象に残ることはなにかと問われれば、八六年の人材活用センターの設置とそれ以降に人権侵害が多発したことを私は挙げざるを得ない。それは本書で書いたとおりであるのだが、最近になって同じ八六年に行なわれた衆参同日選挙にも大きな汚点とも言うべき疑義のあることが分かった。この選挙で自民党は圧勝し、国鉄の分割民営化が決定的となるのだが、二〇二三年四月二七日の『朝日新聞』にこの選挙の裏で動いた旧統一教会・文鮮明に関する記事が載った。

文鮮明はこの衆参同日選挙のために六〇億円の資金を使って「訓練された精鋭部隊」を投入、自民党の衆議院の議席を二五〇名から三〇四名に押し上げることに貢献したというのだ。選挙の翌日、同教団系の新聞は、自分たちが当選させた衆参合わせて一三〇名の「勝共議員」の名前を掲載したという。これが事実だとすれば、国鉄の分割民営化が国民からの圧倒的な支持によって実現されたという中曽根の主張は極めて疑わしいものになる。

安倍元首相の暗殺で、国民を裏切り、信者たちの生き血をすすってきたような自民党の裏

＊「現代の肖像」（『ＡＥＲＡ』一九九六年一二月三〇日～九七年一月六日／朝日新聞出版）

側が暴かれ、社会に大きな衝撃を与えてから三年目となる。しかし、自民党と旧統一教会の間にどんな関係があったのか、その実態はいっこうにはっきり見えてこない。この「はっきり見えてこない」ということは、両者の考え方が道徳的な面と金銭的な面でも一致していて、日本の社会もその「一致」を容認しているのではないか。自民党と旧統一教会の関係は全くの「ブラックボックス」そのものである。

＊

本書のタイトル『ＪＲ冥界ドキュメント』について少し述べておきたい。

八六年秋の国労の修善寺大会は当局との「労使共同宣言」を拒否した大会だったが、この直後から「国鉄改革三人組」の一人である松田昌士は、テレビニュースなどで国労組合員たちのことを「この世のものとは思えない人たち」と揶揄する発言をたびたびくり返した。ＪＲ東日本の常務取締役となってからも同じ言葉を口にした。理解不能で、どうすることもできない人たちといった意味を込めたのだろう。

しかし、私が「招福神像の立つ駅」で会ったＪＲ社員たちも「この世のものとは思えない人たち」であった。これはＪＲ東日本だけでのことではない。二〇〇五年に起こったＪＲ西日本での福知山線事故などは、それまでの経験からは想像することもできない「この世のものとは思えない職場」で起こされたものだった。国鉄一〇〇年にわたる安全に対する経験を全て放り投げ、「井出イズム」と呼ばれた新たに作られたビジョンが事故を引き起こしたのである。こうした認識と私自身が体験したＪＲの多くの職場実態を踏まえてこのタイトルとした。

＊

「パリは燃えているか」をピアノで弾き終えた男が設置カメラに向かって語りはじめる。ピアノ演奏で老人施設を回っている男は「どの施設でも最後にこの曲を弾くのですが、演奏のあと、老人たちが目を潤ませているのを多くの施設で目にする」と言う。そこにはうっ屈した過去を抱えた人生が誰に語られることもなく疼き続けていたのだろう。敗戦後八〇年、この国には希望を断たれ、夢を奪われた数多くの人たちが存在し続けていると思われる。

「年金七万円では電気代の支払ができません」「トイレは公園に行きます」「ストーブは来客が寒さを訴えた時にだけ点けます」「日が暮れても電灯は点さず懐中電灯を持ち歩くと節電につながる」「スーパーで一袋九八円のうどん玉とかき揚げ一個を買い、それぞれ半分にして昼食と夕食にします。卵が入れば上等ですね。それで満足します」。これらはテレビの街頭インタビューで七、八〇代の人たちが語った生活の現状である。彼ら彼女らの持ち時間の先には認知症や孤独死が大きな口を開けているのが日本社会の現実だ。

「これほど豊かになって、これほど幸せにならなかった国もめずらしい」。これはドイツ文学者、池内紀氏の言葉として『朝日新聞』の「折々のことば」欄で紹介されたものであった（二〇二〇年一〇月五日）。「就職列車」に乗せられて上京し、出稼ぎで上京を繰り返して支えた日本の高度経済成長とはなんだったのか。

＊

敗戦の年の一九四五年四月に小学校に入学した私は「ススメ、ススメ、ヘイタイススメ」の国語の教科書を与えられ覚えさせられたが、秋には墨で黒塗りさせられた記憶がある。保守政治家たちはその墨を洗い流し、あったこともなかったこととして時代を明治へと遡らせようとした。その結果、先進諸国からは周回遅れの社会、経済状況となってしまった。最近では進むべき方向さえも見失ってしまった感じがある。

思い起こすのは分割民営化で揺れていた最中の一九八五年に聴いたヴァイツゼッカーの演説である。西ドイツ大統領として戦後四〇周年を記念してのものであった。その一節に「過去をかえりみない者は現在にも盲目となる」の言葉があった。なによりもその誠実な言葉に胸を打たれた。ユダヤ人は言うに及ばず、あらゆる階層の人たち、同性愛者や遊牧民、侵略された国々のレジスタンスたちや路上で行き倒れになった者たちも取り上げて許しを乞い謝罪しているその真摯な態度と言葉使いには胸が熱くなるのを覚えた。

このような誠実な人たちを政治家として選び得る人たちは幸いである。

＊

日本は育ちつつあった「戦後民主主義」を国家的な不当労働行為で縛り上げ捻じ曲げ、労働三権もなかったものとして「国鉄改革」を強行した。結果、民主主義は形も輝きも喪失して床の間に盆栽として飾られた「盆栽民主主義」と化してしまった。

毎年の「春闘」なども、単に数字合わせの「ベースアップ」闘争だけで、社会の矛盾が解消に向かい克服されるとでも思っているのだろうか。自らを矮小化させ、労働者としての展望を共有することなどできない社会となった。

「盆栽民主主義だっていいじゃないか。それで社会が維持され、暮らしていければなんの問題があるのか」、そう主張する人たちがいる。それでは民主主義本来の社会変革を促すエネルギー、その改革を推しすすめるプロセスとダイナミズムが生まれてこない。これが先進諸国からあらゆる面で周回遅れとなった原因であり、「失われた三〇年」と言われるものの根源を成しているものである。

＊

保守系マスコミによるヤミカラ・キャンペーンは八二年一月から始まるのだが、そのなかで朝日新聞の中野隆宣、毎日新聞の内藤国夫の両氏は、これらのキャンペーンにくみせず、国鉄改革の疑問点を指摘し、国労の主張を理解し続けてくれた。政府と保守系マスコミの圧力のなかで組合側の立場で記事を掲載してくれた両氏にあらためて敬意を表したい。組合を取り巻く状況が次第に厳しさを増し、組合が国賊であるかのような「論」まで飛び出してくるなかで、どれほど私たち組合員の心の支えとなったか、改めて思い返される。

また、本書を書くきっかけを作ってくれた内海愛子氏の大阪経済法科大学アジア太平洋研究センターで行われた講演や催し物に三年にわたって学ぶことができたのは幸いなことであった。その一つに「朝鮮人ＢＣ級戦犯」の問題があった。彼らは泰緬鉄道建設を担わされて戦犯とされ、二三名の処刑者を出したのだったが、旧宗主国としての日本政府の彼らの処遇に一切関知しない対応に私は驚かされ、改めて中曽根内閣の「国鉄改革」がなんであったのかを問うきっかけとなった。

原稿に取り組むなかで館野利功氏と金光洋氏は一緒の時間を過ごしてくれた。元国労本部書記であった館野氏とは国鉄時代からサークル、機関誌・紙の教宣関係を通して、金光氏とはＪＲになってからの交流であった。また、国労組合員ＯＢでもある奥田豊己氏は「わだつみのこえ記念館」の理事であり大阪経法大で活動されていた。内海氏のもとで奥田氏と時間を共有することができたことは私の大きな支えとなった。内海氏とともに改めてこの方々には心から感謝している。

鎌田慧氏には前著につづいて今回も文章を寄せていただいた。社会は混迷の一途をたどり終末的な状況だが、三二年前と同じように叱咤激励された思いだ。

「書かなければ駄目だよ」。新日本文学会の二階会議室で大きな声で励まされたことが昨日のことのようであり、その声が今も支えとなっている。

最後に出版を快く引き受けてくれた梨の木舎の羽田ゆみ子氏に感謝している。また編集担当の山岡幹郎氏には、原稿にどうしても付着してくる長年の呪文と怨念を洗い流し、「冥界」の奥深くに入り込む文章に組み直していただいた。浄化され読みやすい文章になったことに感謝したい。

村山良三

二〇二四年六月

1986／01 国労を除く国鉄の労働組合（動労、鉄労、全施労）、国鉄当局と第1次労使共同宣言を締結（56頁）
／07 衆参同日選選挙で自民党圧勝（78頁、151頁）
／07 国鉄当局、人材活用センターを全国に設置（60頁、132頁）
／07 動労、労働組合の全国組織である総評の大会から退場、総評脱退を発表（80頁）
／10 国労、修善寺で臨時大会。執行部の提出した国鉄当局への妥協方針を否決（57頁、128頁）

1987／02 動労、鉄労などが鉄道労連（のちのJR総連）を結成
／03 国鉄当局、人材活用センターを廃止。国労組合員を不当配転（著者、新橋要員機動センターへ配転）（13頁）
／04 JR各社が発足。約7630名が国鉄清算事業団に送られる
／11 中曽根内閣から竹下内閣へ

1988／04（著者、新宿要員センターへ配転）（18頁）
／11 大阪地方労働委員会、2名のJR採用差別事件で救済命令。それ以後組合側の勝利命令が続く
／12 中央線東中野駅で電車追突事故（49頁）

1989／01 北海道地方労働委員会、1704名のJR採用差別事件で救済命令
／03 福岡地方労働委員会、458名のJR採用差別事件で救済命令
／06 国労、臨時大会で「全面解決要求」方針を決定
／11 総評が解散し、「連合」が結成される

1990／04 国鉄精算事業団で大量解雇。1047名闘争が始まる（41頁）

1991／05 信楽高原鉄道事故

1994／03 アメリカの空母カールビンソン、横須賀入港（47頁〜）

1996／08 国労、JR各社に紛争の全面解決と労使正常化を申し入れ
／12 中曽根元首相の『AERA』誌上発言（15頁註）

1997／05 東京地方裁判所、北海道・九州でのJR採用差別事件について和解勧告

1998／05 東京地方裁判所、JR採用差別事件で不当判決（40頁）
／06 自民党、国労に政治解決のための三条件を提示

2000／05 国労本部、4党合意（JRに法的責任なし）を受け入れる

2005／04 JR西日本の福知山線で107人の死亡事故（152頁）

本書の背景を理解するための略年表

（＊斜体部分は分割民営化を推進した中曽根康弘の動向についての解説。本書に関連する記述があるものは頁で示した）

1979／03 千葉動労、動労本部から分離独立（85 頁～）
1981／01 第二次臨時行政調査委員会（第二臨調／土光敏夫会長）発足
＊「行政改革」を謳い文句に鈴木善幸自民党内閣が設置。行政管理庁長官に中曽根康弘
1982／01 マスコミのヤミカラ・キャンペーン始まる（77 頁）
／02 自民党、国鉄基本問題調査会 国鉄再建に関する小委員会（三塚委員会）を設置
／03 国鉄の各組合間で「国鉄再建問題四組合共闘会議」を設置。動労、当局への協力姿勢を示し、国労との関係悪化（85 頁）
／07 第二臨調が第三次答申で国鉄の分割民営化を明記
／11 中曽根内閣発足（77 頁）
＊中曽根政権は「戦後政治の総決算」を掲げ、国鉄（→ JR）・電電公社（→ NTT）・専売公社（→ JT）の民営化と日米関係の強化を進めた。また、臨調答申の実現を目指す「国鉄再建対策本部」を設置
／11 国鉄当局、労使による現場協議制を廃止。組合とのそれまでの労働協約を廃棄し、組合活動への圧力を強める
1983／06 国鉄再建監理委員会が政府内に発足
／05 国労、「国鉄の分割民営化に反対する 5000 万人署名運動」を始める
1984／06 国鉄当局、早期退職・休職・派遣を提案（10／10から一方的に実施）
1985／02 自民党最大派閥の長である田中角栄が脳梗塞で倒れる
＊国鉄の分割民営化には消極的だったとされる田中が倒れたことで、政局運営の主導権が中曽根に移り、分割民営化の路線に拍車がかかった
／06 動労、分割民営化反対の方針を撤回
／07 国鉄再建監理委員会の最終答申
／07 国労、大会で分割民営化反対の方針維持を確認

れに対してその都度「苦情申告票」(資料B)を労働委員会内の「地方苦情処理会議」に提出した。その回数は年3回のペースでJR退職まで続いた(なお、ここに資料として掲載した「訓告」と「苦情申告」とは直接には対応してはいない)。

資料B

1990年12月11日

地方苦情処理会議御中

氏　名　村山良三　印

苦情申告票

※第　　号	※　受付　　年　月　日			
申告者	所属	田町電車区	職名	運転士
	氏名	村山良三	年齢	51才
件名	年末手当5%カットについて			
苦情申告の理由	1990年の年末手当5%カットは本年8月末に出した不当な訓告処分に依拠するもので、組合バッヂを理由としたものであり、重ねてかかるようにこの件に関して、東京、神奈川県等の地方労働委員会で不当労働行為として取り消しを命令されている。即刻、5%分を返かんすること。			

※印のある箇所は、書かないで下さい。

資料：訓告の発令書と苦情申告票

〈資料解説〉分割民営化が具体化するなかで、国鉄当局は服務規程を拡大解釈し、職員の組合バッヂ着用などを規制するようになる。著者もバッヂ着用を理由に当局からたびたび訓告処分を受け（資料A）、賃金カットなどの不利益をこうむった。著者はそ↗

資料A

発　　　令

所　属
　　田　町　電　車　区

氏　名
　　村　山　良　三

服装の整正について再三にわたり注意・指導を行ったにもかかわらず、その是正をすることなく、違反行為を繰り返したことは社員として不都合な行為である。

よって訓告する。

平成２年３月２７日

東日本旅客鉄道株式会社
東京圏運行本部長
佐々木　康治

著者プロフィール
村山良三（むらやま・りょうぞう）
1939年、山形県生まれ。1964年に国鉄東京機関区の電気機関助士となり国鉄労働組合（国労）に加入する。1967年、田町電車区の電車運転士となり、東海道線・横須賀線・伊東線などで勤務。1987年のJRへの移行にともない新橋要員センターへ強制配転させられ、さらに1988年に新宿要員センターへ異動。1996年にJR東日本を退職する。
新日本文学会会員。井上光晴「文学伝習所」二期生。組合サークル誌「作家集団」に参加。著書に『JRジプシー日記 国労の仲間達とともに』新日本文学会（1992年）がある。

急行東海1号（153系15両編成）運転中の著者（1973年10月）

JR冥界ドキュメント 国鉄解体の現場・田町電車区運転士の一日

2024年7月25日　　初版発行

著　者：村山良三

装　丁：宮部浩司

編　集：山岡幹郎

発行者：羽田ゆみ子

発行所：梨の木舎
〒101－0061
東京都千代田区神田三崎町2-2-12 エコービル1階
Tel. 03-6256-9517
Fax. 03-6256-9518
email：info@nashinoki-sha.com
http://www.nashinoki-sha.com

ＤＴＰ：具羅夢

印刷所：株式会社 厚徳社

●シリーズ・教科書に書かれなかった戦争——既刊本の紹介● 20.46.欠番 価格は本体表記(税抜)

1. 教科書に書かれなかった戦争	アジアの女たちの会編	1650円	
2. 増補版 アジアからみた「大東亜共栄圏」	内海愛子・田辺寿夫編著	2400円	
3. ぼくらはアジアで戦争をした	内海愛子編	1650円	
4. 生きて再び逢ふ日のありや―私の「昭和百人一首」	高崎隆治撰	1500円	在庫僅少
5. 増補版 天皇の神社「靖国」	西川重則著	2000円	在庫僅少
6. 先生、忘れないで!	陳野守正著	2000円	
7. 改訂版 アジアの教科書に書かれた日本の戦争―東アジア編	越田稜編著	2200円	
8. 増補版 アジアの教科書に書かれた日本の戦争―東南アジア編	越田稜編著	2500円	
9. 語られなかったアジアの戦後―日本の敗戦・アジアの独立・賠償	内海愛子・田辺寿夫編著	3107円	品切
10. 増補版 アジアの新聞が報じた自衛隊の『海外派兵』と永野発言・桜井発言	中村ふじゑ他翻訳・解説	2700円	
11. 川柳にみる戦時下の世相	高崎隆治選著	1825円	
12. 満州に送られた女たち大陸の花嫁	陳野守正著	2000円	品切
13. 増補版 朝鮮・韓国は日本の教科書にどう書かれているか	君島和彦・坂井俊樹編著	2700円	在庫僅少
14.「陣中日誌」に書かれた慰安所と毒ガス	高崎隆治著	2000円	
15. ヨーロッパの教科書に書かれた日本の戦争	越田稜編著	3000円	
16. 大学生が戦争を追った―山田耕筰さん,あなたたちに戦争責任はないのですか	森脇佐喜子著・解説高崎隆治・推薦内海愛子	1650円	
17. １００冊が語る「慰安所」・男のホンネ	高崎隆治編著		品切
18. 子どもの本から「戦争とアジア」がみえる―みんなに読んでほしい300冊	長谷川潮・きどのりこ編著	2500円	
19. 日本と中国－若者たちの歴史認識	日高六郎編	2400円	品切
21. 中国人に助けられたおばあちゃんの手からうけつぐもの	北崎可代著	1700円	
22. 新装増補版・文玉珠－ビルマ戦線楯師団の「慰安婦」だつた私	語り・文玉珠/構成と解説森川万智子	2000円	
23. ジャワで抑留されたオランダ人女性の記録	ネル・ファン・デ・グラーフ著	2000円	
24. ジャワ・オランダ人少年抑留所	内海愛子他著	2000円	
25. 忘れられた人びと―日本軍に抑留された女たち・子どもたち	S・F・ヒュ－イ著・内海愛子解説	3000円	
26. 日本は植民地支配をどう考えてきたか	和田春樹・石坂浩一編	2200円	
27.「日本軍慰安婦」をどう教えるか	石出法太・金富子・林博史編	1500円	
28. 世界の子どもの本から「核と戦争」がみえる	長谷川潮・きどのりこ編著	2800円	
29. 歴史からかくされた朝鮮人満州開拓団と義勇軍	陳野守正著	2000円	
30. 改訂版 ヨーロッパがみた日本・アジア・アフリカ―フランス植民地主義というプリズムをとおして	海原峻著	3200円	
31. 戦争児童文学は真実をつたえてきたか	長谷川潮著	2200円	

32. オビンの伝言 —タイヤルの森をゆるがせた台湾・霧社事件	中村ふじゑ著	2200円	
33. ヨーロッパ浸透の波紋	海原峻著	2500円	
34. いちじくの木がたおれぼくの村が消えた—クルドの少年の物語	ジャミル・シェイクリー著	1340円	
35. 日本近代史の地下水脈をさぐる —信州・上田自由大学への系譜	小林利通著	3000円	
36. 日本と韓国の歴史教科書を読む視点	日本歴史教育研究会編	2700円	品切
37. ぼくたちは10歳から大人だった —オランダ人少年抑留と日本文化	ハンス・ラウレンツ・ズヴィッツァー著	5000円	
38. 女と男　のびやかに歩きだすために	彦坂諦著	2500円	
39. 世界の動きの中でよむ　日本の歴史教科書問題	三宅明正著	1700円	
40. アメリカの教科書に書かれた日本の戦争	越田稜著	3500円	
41. 無能だって？それがどうした?! —能力の名による差別の社会を生きるあなたに	彦坂諦著	1500円	
42. 中国撫順戦犯管理所職員の証言—写真家新井利男の遺した仕事	新井利男資料保存会編	3500円	
43. バターン　遠い道のりのさきに	レスター・I.テニー著	2700円	
44. 日本と韓国の歴史共通教材をつくる視点	歴史教育研究会編	3000円	品切
45. 憲法９条と専守防衛	箕輪登・内田雅敏著	1400円	
47. アメリカの化学戦争犯罪	北村元著	3500円	
48. 靖国へは行かない。戦争にも行かない	内田雅敏著	1700円	
49. わたしは誰の子	葉子・ハス-綿貫著	1800円	
50. 朝鮮近代史を駆けぬけた女性たち３２人	呉香淑著	2300円	
51. 有事法制下の靖国神社	西川重則著	2000円	
52. わたしは、とても美しい場所に住んでいます	基地にNO！アジア・女たちの会編	1000円	
53. 歴史教育と歴史学の協働をめざして —ゆれる境界・国家・地域にどう向きあうか	坂井俊樹・浪川健治編著	3500円	
54. アボジが帰るその日まで	李熙子・竹見智恵子著	1500円	
55. それでもぼくは生きぬいた —日本軍の捕虜になったイギリス兵の物語	シャーウィン裕子著	1600円	
56. 次世代に語りつぐ生体解剖の記憶 — 元軍医湯浅さんの戦後	小林節子著	1700円	
57. クワイ河に虹をかけた男—元陸軍通訳永瀬隆の戦後	満田康弘著	1700円	
58. ここがロードス島だ、ここで跳べ、	内田雅敏著	2200円	
59. 少女たちへのプロパガンダ —「少女倶楽部」とアジア太平洋戦	長谷川潮著	1500円	
60. 花に水をやってくれないかい？ — 日本軍「慰安婦」にされたファン・クムジュの物語	イ・ギュヒ著/ 保田千世訳	1500円	
61. 犠牲の死を問う—日本・韓国・インドネシア	高橋哲哉・李泳采・村井吉敬／コーディネーター内海愛子	1600円	
62. ビデオ・メッセージでむすぶアジアと日本 ——わたしがやってきた戦争のつたえ方	神直子著	1700円	

●シリーズ・教科書に書かれなかった戦争――既刊本の紹介● 20.46.欠番 価格は本体表記（税抜）

63. 朝鮮東学農民戦争を知っていますか？ ――立ちあがった人びとの物語	宋基淑著 / 中村修訳	2800 円
64. 韓国人元BC級戦犯の訴え――何のために、誰のために	李鶴来著　解説 内海愛子	1700 円
65. 2015年安保、総がかり行動 ―大勢の市民、学生もママたちも学者も街に出た	高田健著	1800 円
66. 歴史を学び、今を考える ――戦争そして戦後	内海愛子・加藤陽子 著	1500 円
67. ラケットはつくれない、もうつくれない ――戦時下、下町職人の記憶	青海美砂 著 五十嵐志朗 画	2000 円
68. 過去から学び、現在に橋をかける ――日朝をつなぐ35人、歴史家・作家・アーティスト	朴日粉 著	1800 円
69. 画家たちの戦争責任 ――藤田嗣治の「アッツ島玉砕」をとおして考える	北村小夜 著	1700 円
70. 新装増補版　慈愛による差別 ――象徴天皇制・教育勅語・パラリンピック	北村小夜 著	2200 円
71. 対決！安倍改憲 ――東北アジアの平和・共生と新型コロナ緊急事態宣言	高田健 著	1600 円
72. 村井宇野子の朝鮮・清国紀行 ――日露戦争後の東アジアを行く	内海愛子 編・解説	1800 円
73. 戦争花嫁ミチ ――国境を越えた女の物語	田村恵子 著	1700 円
74. 敵対から協力へ ――ベトナム戦争と枯れ葉剤被害――	レ・ケ・ソン チャールズ・R・ベイリー 著	2800 円
75. 7人の戦争アーカイブ ――あなたが明日を生き抜くために	内海愛子 編	2200 円

梨の木舎の本

三鷹事件 無実の死刑囚竹内景助の 詩 と 無念

石川逸子 著　四六判 並製／176頁／定価1,200円＋税

◉無実の者を死刑にするという間違いがどうして起こったのか？　詩人である石川逸子さんは、遺された詩を紹介しながら、冤罪事件に迫る。

今から75年前1949年7月15日 三鷹駅での電車暴走により、6名が死亡し20名近くが重軽傷を負った。竹内景助さんは犯人だとして逮捕され、最高裁で死刑が確定した。その後脳腫瘍により1967年45歳で獄中死する。

しかし専門家の鑑定により、事件が複数犯行だとされた。さらに有罪の決め手とされた目撃証言についても、暗がりでの人物の識別は不可能だとされた。

1968年再審請求が出されたが、東京高裁裁判所第4刑事部は棄却。2011年第2次再審請求が出された。現在、第5刑事部に係属し、再審開始決定を切望している。

978-4-8166-2202-1